Een kind en je relatie

Hoofdredactie	Yolande de Best
Chef redactie	Peggy van der Lee
Tekst	Sanderijn van der Doef
Eindredactie	Annemarie van Dijk
Vormgeving	Léanne Kempees
Illustraties	Léanne Kempees
Marketing	Floor Kluizenaar
Druk	Eurobook

Een kind
en je relatie

Advies, feiten en ervaringen

Sanderijn van der Doef

Inhoud

Vooraf

Gefeliciteerd. Jullie hebben in elkaar de 'ware' gevonden. Samen willen jullie verder – misschien wel de rest van jullie leven. En grote kans dat jullie besluiten om, net als veel andere stellen, voor een kind te kiezen. Samen een gezin vormen: is dat geen mooie toekomst om naar uit te kijken?

Dat is het zeker. Dat kan ik iedereen verzekeren. Toch is het niet alleen mooi, maar af en toe ook zwaar. De komst van een kind stelt je relatie behoorlijk op de proef. En dat is iets waarmee we eigenlijk te weinig rekening houden. Het krijgen van een kind is het mooiste wat jou en je partner kan overkomen. Maar het is vaak ook een van de moeilijkste periodes in jullie relatie. Daarom is het belangrijk om niet alleen voor jullie kind te zorgen, maar ook zorg te besteden aan de relatie. Dat klinkt misschien egoïstisch, want jullie kind is vanaf zijn geboorte het allerbelangrijkste in jullie leven. Maar bedenk dat een kind vooral gelukkig is als beide ouders ook gelukkig zijn. Bovendien is voor een kind de relatie van zijn ouders het grootste voorbeeld van hoe mensen met elkaar omgaan.
Een kind krijgen, of het nu een kind van jullie beiden is of via adoptie gekregen, is een gevolg van jullie liefde voor elkaar. Wat zou het zonde zijn als die liefde juist door de komst van een kind afneemt.

Een beetje hulp
In mijn werk als psycholoog/sexuoloog heb ik regelmatig te maken met mensen die struikelen over relatieproblemen in de eerste jaren na de geboorte van hun kind. Ze realiseren zich te weinig dat alle aandacht gericht was op hun kind en te weinig op elkaar. Het is best lastig om je relatie goed te houden in deze periode van nachtbraken, poepluiers, huiluurtjes, tepelkloven, spuugvlekken en babyhapjes. Daarvoor moeten jullie allebei moeite doen. Dat kost extra tijd en extra aandacht. En een beetje hulp kun je daarbij soms wel gebruiken.
Die hulp wil ik geven in dit boek. Met veel tips en adviezen. Maar ook met opdrachten die je alleen of samen met je partner kunt doen. Is dit iets wat

je aanspreekt? Kijk dan eens achter in het boek in de boekenlijst: daar staan verschillende titels van 'hulpboeken' vermeld.

Tropenjaren

Het is niet de bedoeling dat dit boek je afschrikt om aan kinderen te beginnen. Integendeel. Uiteindelijk is het krijgen van een kind een van de allermooiste dingen die je kunnen overkomen. Weinig mensen hebben ooit spijt gekregen van deze beslissing. Maar met dit boek wil ik jullie wel voorbereiden op een verandering in jullie relatie waarbij je niet altijd stilstaat. Jullie zullen worden geconfronteerd met een nieuw aspect in de relatie dat soms confronterend is, maar ook heel verrijkend kan zijn. Namelijk het ouderschap.

Het hebben van kinderen is een verrijking van je relatie. En voordat je het weet, gaan ze alweer de deur uit en op kamers wonen. Ik weet er alles van. In twee jaar tijd heb ik mijn drie kinderen gekregen – waaronder een tweeling. Tropenjaren zijn het geweest, kan ik je verzekeren. Ik weet hoe moeilijk het is om na nachten van veel te weinig slaap nog aardig tegen je partner te doen. Maar we hebben het volgehouden. En vorige maand is de laatste van de drie op kamers gaan wonen.

Geniet van de tijd dat je kinderen jong zijn. Maar vooral: geniet van elkaar!

Sanderijn van der Doef

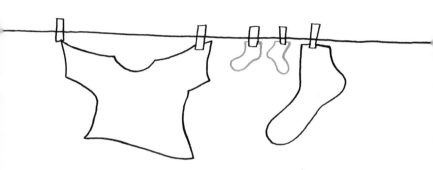

Ik wil een kind

Wanneer weten jullie het zeker?

Het is niet zo dat je op een ochtend wakker wordt en denkt: ja, ik wil een kind. Meestal gaat het anders. Je kent elkaar al wat langer en hebt over deze relatie een beter gevoel dan over vorige relaties. En stiekem heb je misschien al eens gefantaseerd over je partner als vader (of moeder). Kortom, het onderwerp kinderen suddert al een tijdje in je hoofd.

'Oergevoel'

Marianne: "Ik wist al heel jong dat ik later kinderen wilde. Toen ik achttien was, had ik mijn eerste vriendje en wist ik zeker: hij wordt nooit de vader van mijn kinderen. Bij mijn tweede vriend had ik dat gevoel wel, maar hij maakte het uit na drie jaar. En vanaf het moment dat ik Gerard ontmoette, wist ik zeker dat ik met hem kinderen wilde. We hebben het er een keer over gehad. Hij wil ook kinderen, maar is er nu nog niet aan toe. Daarna is het niet meer ter sprake gekomen, maar ik ben er de laatste tijd steeds meer mee bezig. Het lijkt wel alsof het een soort oergevoel is."*

'Laatste pilstrip'

Jeffrey: "Het lijkt me heel leuk om kinderen te krijgen samen met Babs. Maar we zijn allebei nog te veel met andere dingen bezig, vonden we. Zij met haar opleiding en haar werk, ik met mijn nieuwe baan. Maar sinds we de beslissing hebben genomen om volgend jaar te verhuizen, komt het onderwerp kinderen ook weer ter sprake. Want gaan we rekening houden met eventuele kinderen in het nieuwe huis? Eerlijk gezegd komt het nu ineens wel heel dichtbij. Zo dichtbij dat we gisteravond plotseling hebben besloten niet langer meer te wachten. Dit wordt haar laatste pilstrip."*

Waarom willen we een kind?

• Omdat de relatie goed is (bevestiging van onze liefde).
• Omdat we altijd al kinderen wilden.
• We kunnen ons geen leven zonder kinderen voorstellen.
• Om de gezelligheid, de vrolijke sfeer.
• Om de behoefte aan voortbestaan.

Sámen ervoor kiezen

Als je eenmaal de beslissing hebt genomen om kinderen te willen, zou je denken dat de volgende stap niet meer zo moeilijk is. Stoppen met de anticonceptie, zo nu en dan vrijen en hupsakee: na een een maand of twee ben je zwanger en binnen een jaar zijn jullie een gezin. Maar zo makkelijk gaat het meestal niet. Mensen blijken niet allemaal bewust te beslissen of het wel of geen tijd is voor een kind. Soms komt een zwangerschap onverwacht. Soms wordt er heel lang getwijfeld en uitgesteld. En soms is er nauwelijks overleg geweest tussen beide partners, maar wordt een zwangerschap als een vanzelfsprekend gevolg gezien van een relatie. Weet jij waarom je een kind wilt? Weet jij waarom je partner een kind wil? Ondanks dat sommige deskundigen zeggen dat je niet al te lang en uitgebreid met elkaar hoeft te praten over of en wanneer je beiden aan kinderen zou willen beginnen, is het niet onverstandig daar toch even samen bij stil te staan. Kiezen voor een kind doe je samen. Het resultaat van een dergelijke beslissing: een kind is iets van jullie samen, wat jullie de rest van je leven samenbindt. Dat betekent dat een dergelijke levenslange beslissing iets is waarover jullie het in ieder geval eens moeten zijn. Uit de praktijk van relatiehulpverlening is bekend dat relaties waarin een van beide partners zich gedwongen voelde tot het accepteren van een zwanger-schap, grotere risico's lopen op problemen. De verwijten ('ik wilde eigenlijk geen kind', 'jij wilde toch zo graag, van mij hoefde het niet') kunnen tijdens eventuele latere problemen en ruzies in wat voor vorm dan ook naar boven komen. Door van tevoren met elkaar over jullie kinderwens te praten, kun je deze problemen vermijden.

Tips

Niet doen:
• je zin doordrukken
• denken: hij/zij verandert wel van mening als ik maar lang genoeg zeur
• zonder overleg stoppen met anticonceptie
• denken: alle mannen vinden het uiteindelijk leuk als ze de baby eenmaal zien
• denken: als hij niet wil, doe ik het wel zonder hem

Wel doen:
• er een keer samen voor gaan zitten
• jouw mening duidelijk aan de ander voorleggen
• luisteren en openstaan voor de mening van je partner
• proberen (als het nodig is) te komen tot een compromis

Meer tijd nodig?

Een compromis, wat houdt dat in? Stel, je partner vindt dat hij nog te jong is of eerst gesetteld moet zijn in zijn baan. Of jij vindt dat je eerst nog je opleiding moet afmaken. Probeer begrip te hebben voor de 'uitstel-argumenten' van je partner. Vaak zijn dit ook argumenten die een onder-liggende reden kunnen hebben, zoals angst voor de grote verandering, angst om je vrijheid te verliezen, angst voor de verantwoordelijkheid. Iemand die zich nog angstig of onzeker voelt over zijn/haar toekomst met een kind, heeft vaak gewoon wat meer tijd nodig. Gun je partner die tijd door de beslissing nog even uit te stellen. Maar maak wel duidelijke afspraken over wanneer je er weer op wilt terugkomen.

'Uitstelgedrag'

Thomas: "Ik wilde eigenlijk al veel sneller dan Martine een kind. Maar zij was bezig met een opleiding die ze niet wilde en kon onderbreken. Vanuit die opleiding zou ze een betere baan kunnen krijgen. Dus zag ik de bui al hangen: als ze klaar was, wilde ze eerst die baan en dan zou ze natuurlijk niet zwanger willen worden. Op een avond ben ik erover begonnen: 'Hoe lang wil je nog wachten? Je bent nu 28 jaar, als je klaar bent met de opleiding ben je dertig. Hoe lang wil je daarna nog wachten voor je klaar bent voor een kind?' Uiteindelijk biechtte Martine op dat ze zichzelf nog te jong vond en nog te veel wilde in haar leven. Ze wilde pas vanaf haar dertigste nadenken over een kind. Inmiddels is ze 32 en sinds een half jaar hebben we een dochter voor wie ik vier dagen per week zorg. Zo kan Martine verder met die prachtbaan van haar. Een verdeling waarmee we ons allebei gelukkig voelen."

Echt geen kind

Compromissen sluiten en begrip hebben voor elkaars standpunten, angsten en wensen, leidt in de meeste gevallen tot een uiteindelijke gezamenlijke beslissing over een kind. Maar het kan natuurlijk ook anders. Een van de twee wil echt geen kind. Dat kan allerlei redenen hebben. Een vervelende, nare jeugd. Of de overtuiging dat je in deze wereld geen kind wilt opvoeden. Of simpelweg geen enkele behoefte hebben aan een kind. Iemand die daarover heeft nagedacht en weloverwogen tot een dergelijk besluit is gekomen, kun je niet dwingen zich dan maar neer te leggen bij de kinderwens van de ander. Van de andere kant is de wetenschap dat je partner nooit een kind zal willen voor iemand met een kinderwens een heel moeilijke gedachte. Je moet dan op een gegeven moment een keuze maken voor een van beide: de behoefte aan een kind of de wens om bij je geliefde te blijven. Alleen jijzelf kan die beslissing nemen.

Twijfels, twijfels...

Maar meestal is het niet zo zwart-wit als hierboven is voorgesteld. Als beide partners samen niet volledig achter de keuze voor een kind kunnen staan, is er meestal bij een van beiden twijfel over wanneer nu het beste moment is om die knoop door te hakken. Eerst nog dit doen, eigenlijk ook nog het liefst dat doen en tja... wat als het nu niet goed gaat tussen ons beiden? En kunnen we nog ooit die wereldreis maken?
Wanneer gaat die twijfel over? Wanneer komt het moment dat je helemaal zeker weet dat jullie beiden aan een kind toe zijn? Verheug je niet op een duidelijk antwoord: misschien gaat die twijfel namelijk wel nooit over. Bij twijfel mag je best de tijd nemen om over jouw of jullie twijfelgevoelens na te denken. Maar bedenk dat je de keuze eens moet maken. Zorg ervoor dat je niet 'het lot' of 'de tijd' voor jou laat kiezen. Voor je het weet, gaat je biologische klok steeds harder tikken en gaat je vruchtbaarheid (en dus je kans op een zwangerschap) achteruit. En plotseling heb je grote haast om

op het allerlaatste nippertje nog zwanger te kunnen worden. Stel je voor dat het dan niet meer lukt...

Oefening

Last van eeuwige twijfel over wel of niet een kind? Soms helpt het als je een lijstje maakt van voor- en nadelen. Doe dat zo: vouw een blad in de lengte in tweeën. Schrijf eerst boven aan het blad in het midden: *als we samen een kind krijgen*. Schrijf daarna boven het linkergedeelte: *wat vind ik leuk?* en boven het rechtergedeelte: *wat vind ik niet leuk?* Maak zo twee lijstjes. Vervolgens geef je elk antwoord dat je hebt opgeschreven een cijfer van nul tot vijf. Vijf is heel belangrijk, nul helemaal niet zo belangrijk. Tel dan aan beide kanten de cijfers op en kijk eens waar het hoogste cijfer staat. Ben je het ermee eens?

Als we samen een kind krijgen

Wat vind ik leuk?	cijfer	Wat vind ik minder leuk?	cijfer
A................................	....	A....................................	....
B................................	....	B....................................	....
C................................	....	C....................................	....
D................................	....	D....................................	....
D................................	....	D....................................	....
D................................	....	D....................................	....
D................................	....	D....................................	....
D................................	....	D....................................	....
D................................	....	D....................................	....
D................................	....	D....................................	....
D................................	....	D....................................	....
D................................	....	D....................................	....
D................................	....	D....................................	....
D................................	....	D....................................	....
D................................	....	D....................................	....
D................................	....	D....................................	....
D................................	....	D....................................	....
	....		....
	(totaal)		(totaal)

Wereldkampioen last-minute-moeders

In Nederland krijgen vrouwen op een gemiddelde leeftijd van 29,8 jaar hun eerste kind. Dat is van alle landen ter hele wereld de hoogste leeftijd. Nederlandse vrouwen hebben duidelijk andere prioriteiten: eerst studeren, dan nog een leuke tijd hebben van vrijheid-blijheid, daarna beginnen aan een carrière. En kinderen krijgen? Tuurlijk, maar dat kan altijd nog. Madonna is immers ook pas op haar veertigste begonnen?

Leeftijd waarop moeders hun eerste kind krijgen

1970:	24,2
1980:	25,6
1990:	27,6
2000:	29,1
2004:	29,8

Bron: CBS

'Oude' vaders

Niet alleen vrouwen krijgen in Nederland op steeds latere leeftijd hun eerste kind. Ook de leeftijd van de vaders stijgt. In 1975 had 4% van alle pasgeboren baby's een vader ouder dan veertig jaar. In 1990 was dit 8% en in 2000 gold dit al voor 11% van alle pasgeboren baby's.

'Toch nog een kind'

Esther: "Ik ben zo'n last-minute-moeder. Op mijn veertigste heb ik mijn zoon gekregen. In de jaren ervoor was ik heel hard bezig met mijn carrière. Ik genoot van mijn leuke baan, het vrije leven dat ik had en met twee fulltime werkende partners hadden we genoeg geld om allerlei leuke dingen te doen. Maar de relatie ging uit. Hij bleek al jaren een ander te hebben. Ik ben vijf jaar bezig geweest om mezelf weer een beetje op orde te krijgen. Had ook helemaal geen zin in weer een man en hetzelfde leventje als daarvoor. Maar toen ik op mijn 38ste nog steeds alleen was, schrok ik op een nacht wakker en besefte: maar dan krijg ik misschien ook nooit meer een kind. Ik wist ineens zeker dat ik in mijn leven nog een kind wilde. Gelukkig leerde ik binnen een half jaar Jim kennen. We trouwden al snel en wilden allebei heel graag kinderen. Maar

het heeft nog anderhalf jaar geduurd voor ik zwanger was. We hebben
samen huilend het goede nieuws aan onze ouders verteld."

Steeds minder eicellen

Voor de geboorte hebben vrouwelijke embryo's ongeveer zeven miljoen follikels (blaasjes waaruit eicellen ontstaan). Bij de geboorte is daarvan nog maar de helft over en tegen de tijd dat meisjes ongeveer dertien jaar zijn (de leeftijd waarop ze gemiddeld geslachtsrijp worden) nog maar een paar honderdduizend. Vanaf dat moment komen er iedere dag zo'n dertig eicellen uit. Het merendeel gaat verloren omdat ze op het verkeerde moment uitkomen. De eicellen met de hoogste kwaliteit komen het eerste uit, zodat er op het laatst eicellen overblijven met een overwegend slechte kwaliteit. Dus hoe later je je zwangerschap plant, hoe slechter van kwaliteit je eicellen zijn, zal menig gynaecoloog je vertellen. En een slechte eicel geeft een kleinere kans op zwangerschap. Zo'n tien jaar voor de overgang bij een vrouw begint, zijn alle bruikbare eicellen al op. En geen enkele vrouw weet van tevoren wanneer bij haar de overgang start. Dat bleek uit een door Freya (de patiëntenvereniging voor vrouwen met vruchtbaarheids-problemen) gehouden internet-enquête. Tachtig procent van de deel-nemers bleek de leeftijd van de vrouw waarop bij haar de vruchtbaarheid begint terug te lopen, te hoog in te schatten.

Spectaculair

In het voorjaar van 2004 is er een bijzonder onderzoek gepubliceerd. Tot die tijd werd gedacht dat tijdens het leven van elk meisje en elke vrouw elke dag eicellen verloren gaan. Nu is ontdekt dat vrouwtjesmuizen tijdens hun leven nieuwe eicellen kunnen aanmaken. Ze zouden dat mogelijk doen met behulp van stamcellen in de eierstok. Het onderzoek naar deze spectacu-laire mogelijkheid gaat nog verder. De mogelijkheid bestaat namelijk dat mensen hiertoe ook in staat zijn.

De beste leeftijd?

Een vrouw is op haar vruchtbaarst tussen haar twintigste en 24ste jaar. Dat neemt niet weg dat ze ook op haar 38ste (mits in goede gezondheid) nog steeds een grote kans heeft zonder problemen zwanger te worden. Het zal alleen wat langer duren dan wanneer ze 24 jaar is.

Een ideale leeftijd is er niet. Lichamelijk gezien is het beter om jong te beginnen, maar of iedereen er geestelijk dan al aan toe is, is maar de vraag. Ook is er veel voor te zeggen om eerst te werken aan je toekomst qua werk en opleiding. Bovendien willen veel vrouwen en mannen eerst zekerheid in hun relatie. En de meesten hebben die zekerheid nog niet als ze midden in hun studententijd zitten.

'Medische molen'

Arianne: "Ik ben nu 35 jaar en heb sinds vijf jaar een relatie met Guido. We zijn sinds anderhalf jaar bezig met zwanger worden. Uiteindelijk ben ik naar de gynaecoloog gestapt en kwamen we in de medische molen terecht. In de afgelopen tijd is onze relatie nogal onder spanning komen staan. Elke maand die teleurstelling komt de sfeer niet ten goede. Om maar te zwijgen over al die maanden verplicht vrijen! Net toen we het niet meer zagen zitten, bleek ik die week over tijd. En nu ben ik vijf weken zwanger. We durven nog niet helemaal blij te zijn."

Zwanger op latere leeftijd

Mogelijke medische gevolgen:

• miskraam
• zwangerschapscomplicaties
• aangeboren afwijkingen
• lager geboortegewicht
• vroeggeboorte
• bevalling via keizersnede

Mogelijke gevolgen voor de relatie:

• scheiding
• geen kleinkinderen
• meer stress door lichamelijk ongemak

'Waarom wachten?'

Leonie: "Mo en ik genoten van ons leven: tweeverdieners met allebei een leuke baan, veel vrienden, vaak uit eten en op reis, doen waarin je zin hebt. Ik wilde best wachten tot we echt zeker wisten dat we allebei toe waren aan een kind. Maar op een gegeven moment zei Mo: 'Waarom zouden we nog langer wachten? We kunnen toch ook mét kind nog een heleboel leuke dingen doen? Misschien niet alles, maar we hoeven toch niet te veranderen in twee huismussen als we een kind hebben?' Toen dacht ik: je hebt gelijk. Ook met een kind kun je een leuk leven hebben, we moeten er allebei iets van maken. We kunnen dan nog steeds op reis, uit eten, met vrienden afspreken. We moeten het alleen goed organiseren. En bovendien krijgen we er dan nog een veel mooier geschenk bij: ons kind."

Jij, hij en een baby

Hoe gaan jullie het doen?

Een kind krijgen en opvoeden doe je niet alleen, maar samen met je partner. Dus is het handig om nu al eens te praten over hoe jullie daarover denken. Wat voor vader en moeder willen jullie worden? En hoe gaan jullie de taken verdelen?

Samen een kind opvoeden is met een beetje fantasie te vergelijken met het samen opzetten van een nieuw bedrijf. Jullie zijn beiden de managers en hebben allebei hetzelfde doel: gelukkig worden met zijn drieën. Net zoals in een bedrijf is het handig om de taken te verdelen. Als je geen overleg hebt en de ander niet goed van elkaars taken op de hoogte brengt, wordt het bedrijf natuurlijk niet efficiënt geleid. Er zullen irritaties ontstaan tussen de twee managers, misschien wel ruzies. Soms ben je het niet eens over hoe de ander iets doet of oplost in jullie bedrijf, of andersom. Je kunt je voorstellen dat ruzies en irritaties een negatieve invloed hebben op de sfeer en het werken in jullie bedrijf.

Als je de vergelijking met een bedrijf aanhoudt, wordt het ook duidelijk dat het belangrijk is van tevoren te peilen hoe jullie beiden denken over het bedrijf. Stel je voor dat hij van plan is maar een dag in de week te besteden aan jullie nieuwe bedrijf omdat hij de rest van de week nog ergens anders werkt waarmee hij geld verdient wat nodig is voor jullie nieuwe bedrijf. Dan is het handig om dat al van tevoren te weten zodat jullie samen een oplossing kunnen zoeken voor de overige dagen. Ook is het handig al eens te polsen bij elkaar hoe jullie beiden denken over de manier van 'managen'. En met 'managen' bedoelen we hier natuurlijk 'opvoeden'. Wat voor moeder zul jij worden, wat voor vader wordt hij? Wat voor ouders worden jullie beiden?

'Meningsverschillen'

Annet: "Berend is dol op kinderen. Elke keer als we bij mijn nichtjes en neefjes waren, was het meteen een dolle boel. Hij werd kind met de kinderen. Dat-ie een leuke vader zal worden, daar twijfel ik niet aan. Maar hoe we beiden dachten over opvoeden, consequent zijn, wat je wel en niet acceptabel vindt bij je kind, daar hadden we het nooit over. Toen ik dan ook eens een opmerking maakte over iets wat me ergerde bij mijn kleine neefje, reageerde hij tegenovergesteld. We waren allebei verbaasd en hebben toen eens verder gepraat over wat we beiden vonden van bijvoorbeeld onderwerpen als bord leegeten, kinderen die 's nachts bij hun ouders in bed slapen en schreeuwen tegen je kind. Over een aantal dingen waren we het roerend eens, maar over andere dingen niet. We waren verbaasd over het verschil. Tegelijkertijd beseften we ook heel goed dat we er weer heel anders over kunnen denken als we eenmaal echt kinderen hebben."

Vadertje en moedertje

Hoe jullie straks samen 'je bedrijf' gaan runnen, hoef je voordat je zwanger wordt natuurlijk nog niet helemaal tot in de details met je partner te hebben afgesproken. Want je kunt niet nú al weten wat je straks allemaal te wachten staat. De situatie straks is zo nieuw voor jullie beiden dat het niet mogelijk is je helemaal voor te bereiden. En dat hoeft ook niet. Het besef dat jij met deze partner het liefst straks een kind wilt, plus de wetenschap dat jullie relatie goed is, is een stevige basis.

Een leuke manier om samen over een toekomstig gezin te mijmeren (en om meer over je partner te weten te komen) is de volgende oefening. Maak een lijst van maximaal vijf eigenschappen die duidelijk maken hoe jij straks als moeder het liefst zou willen zijn. En laat je partner hetzelfde doen voor hemzelf als toekomstige ideale vader. Schrijf daarnaast maximaal vijf kenmerken hoe jij als moeder straks juist niet wilt zijn. En je partner doet hetzelfde voor hem als vader.

Lijst voor jou
Wat voor moeder wil jij het liefst worden?

1......................................
2......................................
3......................................
4......................................
5......................................

6......................................
7......................................
8......................................
9......................................
10......................................

Wat voor moeder wil je niet
worden?

1......................................
2......................................
3......................................
4......................................
5......................................

6......................................
7......................................
8......................................
9......................................
10......................................

Lijst voor hem
Wat voor vader wil jij het liefst worden?

1......................................
2......................................
3......................................
4......................................
5......................................

6......................................
7......................................
8......................................
9......................................
10......................................

Wat voor vader wil je niet
worden?

1......................................
2......................................
3......................................
4......................................
5......................................

6......................................
7......................................
8......................................
9......................................
10......................................

Wensenlijstjes

Natuurlijk kun je deze oefening nog uitbreiden door eerst je eigen blad in te vullen en daarna ook een voor je partner (en andersom). Wat voor moeder wil hij dat jij wordt en wat voor moeder wil hij niet dat jij wordt? En hoe zie jij je partner het liefst (en niet) als vader?

Let wel, het zijn wensenlijstjes en de harde werkelijkheid straks kan heel anders zijn. Maar op deze manier leer je alvast van de verwachtingen van jezelf en je partner. Misschien vind je het juist wel leuk om er later, als je al kinderen hebt, nog eens op terug te komen. Wie weet wat er allemaal is uitgekomen...

De taken verdelen

Waarschijnlijk ben je nog niet zwanger en is er nog lang geen kind in huis. Toch is het handig al eens met elkaar te overleggen hoe jullie straks de taken willen verdelen. Het is handig om daar nu al in grote lijnen over te praten om straks niet voor een verrassing te staan. Algemene vragen die je elkaar kunt stellen in dit stadium zijn bijvoorbeeld: blijven we allebei fulltime werken of gaat een van ons minder werken? Zo ja, hoeveel dagen? Wie gaat er straks op welke dagen voor ons kind zorgen? De kinderopvang, grootouders, een van ons beiden, allebei? Hoeveel tijd wil jij in de verzorging van je kind steken? Hoe gaan we het financieel oplossen?

Tip

Komt een gesprek over de taakverdeling niet spontaan op gang, plan dan een tijdstip waarop jullie het erover gaan hebben. Dat lijkt misschien niet zo spontaan, maar dit onderwerp is te belangrijk om achteraf, als je kind al is geboren, te bespreken.

Omgaan met verschillen

Misschien denken jullie niet hetzelfde over opvoeden. Natuurlijk hoeft dat op zich geen reden te zijn om dan maar niet aan kinderen te beginnen. Belangrijker is om samen in ieder geval het gevoel te hebben dat je allebei met deze verschillen kunt omgaan. Die kans is groot als de basis van jullie relatie goed zit. Als je het idee hebt dat jullie relatie stressbestendig is. Want het krijgen van een kind is een uitermate stressgevoelige situatie.

Top 5 van stressveroorzakende gebeurtenissen

1 overlijden/ernstige ziekte van een geliefd persoon
2 ontslag op je werk (of van je partner)
3 (echt)scheiding
4 verhuizing
5 geboorte van je kind

Test

Met de volgende test kun je checken of je relatie voldoende stressbestendig is. Beantwoord de volgende vragen met 'ja' of met 'nee'.

- Ben jij en/of is je partner een binnenvetter wat betreft gevoelens?
- Praten jullie makkelijk over gevoelens?
- Blijft een van jullie na een ruzie nog lang geïrriteerd?
- Veranderen jullie discussies vaak in ruzies?
- Worden er tijdens een ruzie soms kwetsende dingen gezegd tegen elkaar?
- Maken jullie wel eens ruzie over wie er gelijk heeft?
- Is er iemand met wie je beter kunt praten dan met je partner?
- Voel je je wel eens slechter na een ruzie dan ervoor?
- Voel je je wel eens opgesloten in een relatie?
- Heb je het gevoel dat je partner vaak ontevreden is, hoe goed jij ook je best doet?
- Ben je negatief over je toekomst?
- Kun je altijd met je emoties bij je partner terecht?

Bron: Deze vragenlijst is gebaseerd op de relatiestress-test van Dr. Phil. Uit het boek *Red je relatie! Het werkboek*. Uitgeverij het Spectrum.

Tel de vragen op die je met 'ja' hebt beantwoord.

0-3 keer ja?

De relatie is goed. Jullie hebben weinig stress of kunnen goed met stress omgaan.

4-6 keer ja?

Er is soms stress in jullie relatie waar jullie niet uitkomen. Het is belangrijk om te proberen te werken aan de punten waarop met 'ja' is geantwoord.

7-9 keer ja?

Jullie hebben vaak stress samen en jullie relatie verslechtert. Praat hierover met je partner. Misschien hebben jullie hulp nodig (kijk achter in dit boek bij de adressenlijst).

10-12 keer ja?

Er is erg veel stress in jullie relatie. Hulp van een deskundige is zeer aan te raden (zie de adressenlijst achter in dit boek).

'Uit elkaar'

Xandra: *"In mijn vorige relatie die zeven jaar duurde, hadden we het in het laatste jaar ook over kinderen. Mijn ex wilde erg graag. Ik ook wel, maar ik twijfelde over de relatie. Hij was een echte binnenvetter. Sprak moeilijk over zijn emoties. Ik kon daar niet goed mee omgaan. Hij kon dagenlang zwijgen en dat maakte mij witheet van woede. Dan kwam het meestal tot een vreselijke ruzie waarin ik hem allerlei dingen verweet waarvan ik later weer spijt had. Als we dan weer huilend in elkaars armen vielen, begon hij steeds vaker over kinderen. Ik heb getwijfeld, maar heb toch besloten dat we uit elkaar moesten gaan. De ruzies en de spanningen kostten mij te veel energie."*

'Erfenis van vroeger'

Serge: *"Petra heeft vroeger nooit geleerd met conflicten om te gaan. Haar ouders hadden heel vaak ruzie. Soms zelfs slaande ruzie, ook in het bijzijn van de kinderen. Petra trok zich dan altijd terug en sloot zich zoveel mogelijk van alles af. Dat is precies wat ze nu ook doet zodra er tussen ons spanning ontstaat. En als ik mijn stem verhef, zie ik haar schrikken. Ze sluit zich dan af zodat ik niet meer tot haar kan doordringen. Op deze manier kwamen we niet eens toe aan gewone discussies. We zijn uiteindelijk naar een psycholoog gegaan die ons met een paar*

*handige methodes en oefeningen heeft geleerd op een goede manier
ruzie te maken. Petra is daarna ook in therapie gegaan, want er kwam
veel los over vroeger."*

Valkuilgedachten in je relatie

• Als er eenmaal een kind is, komt het weer goed tussen ons.
• Onze relatie is een sleur, een kind brengt daar verandering in.
• Als we een kind hebben, kan ik eindelijk iemand knuffelen en verzorgen.
• Als we een kind hebben, blijft hij wel bij me.
• Ik geef hem zijn zin als hij zo graag een kind wil.

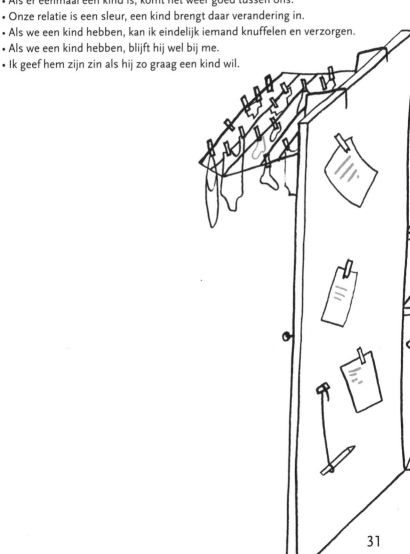

Verplicht vrijen

Het lukt niet, het lukt wel...

Jarenlang heb je gevreeën in de hoop dat je niet zwanger werd. Maar vanaf nu wíl je juist zwanger worden. Dat maakt het vrijen anders, zeker als het een aantal maanden duurt voor je zwanger bent. Hoe zorgen jullie ervoor dat het geen 'verplicht nummer' wordt?

Vrijen om zwanger te worden. Dat is de eerste keer spannend, eng, vreemd en opwindend tegelijkertijd. Stel je voor dat het meteen lukt? Misschien slaat de twijfel weer toe, misschien heb je ineens grote haast om wel zwanger te worden. Een ding staat vast: vanaf nu wordt de sex anders. Bewust sex hebben om zwanger te worden, gaat steeds minder om de sex en de lust en steeds meer om de gedachte: zwemmen ze allemaal goed naar boven? Zijn we wel op tijd of had het gisteren gemoeten?

'Onveilig'

Joan: "Ik kan me nog goed herinneren dat Johan en ik voor de eerste keer zonder voorbehoedmiddelen gingen vrijen. Het was de eerste keer in mijn leven dat ik sex had zonder me te beschermen tegen zwangerschap – en een soa. Volgens de boekjes was dit dus heel onveilig! En eerlijk gezegd voelde het ook zo, ondanks dat we dit allebei heel graag wilden. Maar ik was inmiddels al jarenlang geconditioneerd door alle vrij-veilig boodschappen in de sexuele voorlichting en de media. Dus moest ik erg wennen aan het idee dat deze onveilige sex juist als doel had om ons heel gelukkig te maken!"

'Met condoom'

Mike: *"Nadat Lea was gestopt met de pil, hebben we eerst een paar maanden alleen met condoom gevreeën. Lea wilde dat om te kijken of en wanneer ze weer ongesteld zou worden. Ze had sinds haar vijftiende non-stop de pil geslikt, veertien jaar lang. En ze wist helemaal niet of ze regelmatig of onregelmatig ongesteld werd. Mij kon het minder schelen omdat ik toch zoiets had van: nu we eenmaal hebben besloten een kind te willen moet het ook maar meteen gebeuren. Maar ik begreep Lea prima. Doordat we zo geleidelijk de anticonceptiemiddelen hebben afgeschaft, was voor mij de eerste keer zonder condoom ook minder spannend. Voor Lea was het dat wel, die had letterlijk na het vrijen het gevoel dat er van alles in haar buik gebeurde. Maar dat bleek toch een vergissing: het heeft nog acht maanden geduurd voor ze echt zwanger werd."*

Ook als je geen zin hebt

Natuurlijk hoop je dat je na de eerste keer sex zonder anticonceptie meteen zwanger bent. Toch is het slim om daar niet te veel op te rekenen, want bij de meerderheid van de vrouwen is dat niet het geval (zie kader hieronder). De meeste vrouwen weten wel dat het meerdere cycli kan duren voordat het lukt, maar elke maand dat je weer ongesteld wordt, wordt ook de teleurstelling groter. De eerste paar maanden was vrijen voor een kind nog wel leuk en spannend. Maar op een gegeven moment merk je aan jezelf dat je alleen nog maar wilt vrijen op die paar vruchtbare dagen in de maand. Het vrijen wordt minder natuurlijk, minder spontaan, minder omgeven door lust en opwinding.

Hoe lang gaat het duren?

Hoe groot je zwangerschapskansen zijn, hangt af van je leeftijd. Zo is de kans om binnen een half jaar zwanger te worden voor een vrouw tussen twintig en 24 jaar ongeveer 75% en voor een vrouw van 35 jaar ongeveer 50%. Na een jaar is de kans voor een dertigjarige vrouw om zwanger te worden ongeveer 80% en na twee jaar ongeveer 92%.

'Geen goede dag'

Freek: *"We waren al meer dan een half jaar bezig zwanger te worden. Ik lette niet zo op de dagen waarop er mogelijk meer kans was op bevruchting. Ik probeerde het een beetje af te wisselen. Maar ik merkte dat Elza steeds vaker liet merken dat ze niet wilde en dan ineens op een ochtend weer wel wilde vrijen. Toen ze zich weer eens een keer ongeïnteresseerd omdraaide toen ik haar begon te strelen en ik haar vroeg waarom ze niet wilde, antwoordde ze dat het nog geen goede dag was. Goede dag? Ja, vruchtbare dag. Elza bleek het slijmvlies uit haar vagina elke ochtend te controleren. Daaraan kon ze zien of ze vruchtbaar was. Ik was even helemaal verbijsterd. 'Maar dan kunnen we nu toch evengoed vrijen,' riep ik uit. 'Nee,' zei ze, 'dat is verspilling van je zaad.'"*

Maak er wat van

Verplicht vrijen. Leuk is anders. Het kan de sex saaier maken en invloed hebben op jullie relatie. Bovendien kan het zelfs zo gaan tegenstaan dat de sex door gebrek aan opwinding letterlijk pijn kan doen. Hier een paar tips om te proberen er wat meer van te maken dan alleen een 'verplicht nummer':

• Probeer het vrijen niet alleen maar te beperken tot die dagen van de maand waarop jij vruchtbaar bent.
• Als je weet dat het vanavond zou moeten, maar je bent moe en hebt geen zin, overleg dan met je partner. Als hij weet dat het een 'geschikte' dag is, wordt het jullie beider verantwoordelijkheid om er wat van te maken. Natuurlijk kun je ook besluiten om dan maar geen sex te hebben. Maar voor veel vrouwen is dit geen optie. Geen sex op een vruchtbare dag betekent: weer een maand voorbij.
• Neem er uitgebreid de tijd voor. Meer tijd dan je gewoonlijk denkt nodig te hebben voor een spontane vrijpartij.
• Neem de tijd om elkaar eerst te strelen. Over het hele lichaam. Gebruik desnoods bij het strelen een massageolie.
• Gebruik een voor jou opwindende fantasie. Maakt niet uit waarover deze gaat – als jij er maar opgewonden van wordt.
• Als je niet genoeg opgewonden bent, is je vagina niet vochtig genoeg. Het vrijen kan dan pijnlijker zijn. Je kunt dan proberen het voorspel uit te breiden tot je voelt dat je vochtig genoeg bent. Als je merkt dat dat niet meer gaat gebeuren, gebruik dan wat speeksel of glijmiddel. Liever wat glijmiddel dan pijnlijke sex. Je weerstand tegen sex wordt alleen maar

groter als je pijn hebt. En dat heeft weer invloed op je relatie en je kansen op zwangerschap.

- Komt je partner te vroeg klaar of komt hij al klaar (dat wil zeggen: buiten je vagina) terwijl jij nog ligt te wachten tot je opgewonden bent? Geen paniek. Smeer onmiddellijk wat sperma op je vinger en breng deze in je vagina. Ook op deze manier kun je zwanger worden.

Als het maar niet lukt...

Toch weer ongesteld geworden? Die teleurstelling kan behoorlijk wat invloed hebben op je relatie. En vergis je niet: ook hij kan net zo teleurgesteld zijn. Probeer daarom elkaar op te vangen. Je gesteund en begrepen voelen is een uitermate belangrijke pilaar in je relatie. Laat merken hoe jij je voelt en vraag hem hoe hij zich voelt. Je kunt elkaar troosten en oppeppen om samen nieuwe moed uit te putten. Probeer zoveel mogelijk samen te zijn – juist in periodes dat je verdrietig bent en angstige gedachten hebt over een mogelijke kinderloze toekomst.

'Afspattende vonken'

Andre: *"We waren al anderhalf jaar bezig. Elke maand weer die verplichte sex. Ik merkte dat Ine er geen plezier meer aan beleefde. Daarover had ik nog het meeste verdriet. Soms leek het alsof ze bijna een hekel aan mijn lichaam kreeg. Zo wilde ik het niet meer. Maar ze bleef maar volhouden. Ik werd na elke vrijpartij chagrijnig, Ine werd chagrijnig als ze weer ongesteld werd. Toen zijn we onverwacht een week op vakantie gegaan. De eerste dagen zonder sex. We werden weer als vanouds verliefd. Dus hebben we de laatste avond ook weer als vanouds een geweldige vrijpartij gehad. Zo heftig dat de vonken er vanaf spatten. Volgens Ine zou ze pas in de week erna haar eisprong hebben. Maar we wilden even niet meer vrijen. Een paar weken later bleek ze over tijd. De eicel dacht in onze vakantie waarschijnlijk dat ze bij deze mooie vrijpartij maar eens een weekje eerder van huis moest gaan. En mijn zaadcellen hebben die mooie eicel onmiddellijk verleid."*

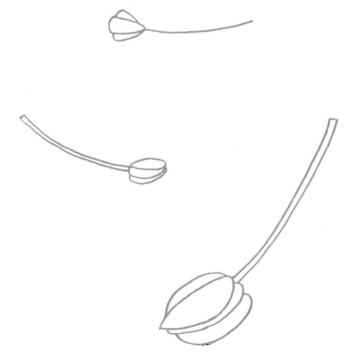

Samen zwanger

Alles verandert – ook de band tussen jullie

De zwangerschapstest laat er geen twijfel over bestaan: je bent zwanger! Veel gaat er nu veranderen. Je gaat je niet alleen lichamelijk anders voelen, ook de relatie met je partner verandert: behalve vriend en vriendin, minnaar en minnares worden jullie nu ook vader en moeder.

'Yes!'

Corien: "*Ben was veel minder bezig met zwanger worden dan ik. Ik dacht er elke dag aan hoe het zou zijn om straks een kind in mijn buik te hebben. Ben leefde gewoon verder met zijn drukke baan. Toen ik merkte dat ik drie dagen over tijd was (ik had een super regelmatige cyclus), voelde ik een heerlijk soort spanning. Ik holde tien keer per dag naar de wc om te kijken of ik toch niet ongesteld was. Met een test wilde ik wachten tot ik een week over tijd was. Ben merkte iets aan me. Aan het eind van de week vroeg hij me of het op mijn werk beter ging – ik had er al een tijdje problemen. Toen floepte ik het eruit: 'Ik ben al bijna een week over tijd.' Hij was stil. Keek me aan en zei toen: 'Weet je het al zeker?' We zijn die middag samen een test gaan kopen. Omdat ik al van tevoren wist dat hij toch niet wist hoe hij de uitslag op het staafje moest interpreteren, gilde ik vanaf de wc: 'Yes!' Die avond hebben we voor het eerst sinds maanden weer gevreeën uit pure liefde.*"

Schrik of verrassing?

Verrassing! Dat zegt maar liefst 45% van de ondervraagde vaders toen ze hoorden dat hun partner zwanger was. 21% schrok toen ze het grote nieuws hoorden.

Bron: *Vaders van Nu*-enquête.

De eerste drie maanden - wat merk jij?

Veranderingen aan je lichaam
- je menstruatie blijft weg
- je borsten worden gevoelig
- je kunt misselijk zijn – elke ochtend of de hele dag
- je kunt je extreem moe voelen

Wat kun je eraan doen?
Weinig. Bedenk dat de meeste lichamelijke zwangerschapskwaaltjes alleen in de eerste drie maanden voorkomen. Je lichaam is hard aan het werk om zich aan te passen aan alle veranderingen. Wat je het beste kunt doen, is je er helemaal aan overgeven. Lekker vroeg naar bed. Soms wat eerder weg van je werk. Als je 's ochtends misselijk bent je ontbijt gewoon wat later nemen. En toegeven aan die behoefte aan chocola, augurken en wat al niet meer.

Emotionele veranderingen
- Je voelt je heel blij en gelukkig. Maar dat kan ook zomaar omslaan. Sommige vrouwen kunnen last krijgen van onverklaarbare stemmings- wisselingen.
- Je kunt geplaagd worden door vlagen van onzekerheid: kan ik dit allemaal wel aan? Is dit wel wat ik echt wilde?
- Je kunt je zorgen maken over de gezondheid van je kind.
- Soms heb je behoefte om je terug te trekken. Je hebt even nergens zin in.

Wat kun je eraan doen?
Eraan toegeven. En erover praten met je partner. Ook hij heeft last van heftige emoties (zie verderop). Er samen over praten kan al wat opluch- ting geven. En dat hoeft niet te betekenen dat er ook meteen oplossingen gevonden hoeven te worden. Worden de stemmingswisselingen steeds erger, voel je je steeds ongelukkiger? Praat er dan eens over met je huisarts of verloskundige.

'Geen last'
Marian: *"Niet moe. Niet misselijk. Niet snel geïrriteerd. Ik vroeg me de eerste maanden soms af of ik wel écht zwanger was."*

'Niet leuk'

Renate: *"De eerste drie maanden heb ik me echt heel beroerd gevoeld. Het begon met pijn in mijn borsten, daarna werd ik 's ochtends misselijk. Soms was het zo erg dat ik niets kon binnenhouden en me op mijn werk ziek moest melden. Die misselijkheid ging gelukkig in de loop van de dag weg. Maar ik begon toch af te vallen. Bovendien werd ik erg moe. Ik kon soms om acht uur 's avonds m'n ogen niet meer openhouden. Dat kwam niet altijd goed uit, want Willem had zich dan bijvoorbeeld verheugd op een gezellige avond met mij. Ook eten was voor mij geen lolletje. Had Willem iets lekkers voor me klaargemaakt, hing ik een half uur later kokhalzend boven de wc. Ik kon ook plotseling heel geïrriteerd zijn. Dan viel ik uit tegen Willem over iets onbenulligs. Nee, die eerste drie maanden waren niet leuk. Niet voor mij en ook niet voor Willem."*

En wat merkt hij?

Ben je een aanstaande vader, dan groeit er geen baby in je buik. Je hebt geen last van lichamelijke ongemakken, geen last van stemmingswisselingen. Daarom kan het moeilijk zijn om te begrijpen wat er allemaal gebeurt. Zeker tijdens die eerste drie maanden, wanneer er aan de buitenkant van het lichaam van je partner nog nauwelijks iets te zien is. Sommige mannen kunnen in die eerste maanden maar moeilijk geloven dat er werkelijk een baby groeit en dat ze over een half jaar misschien al vader zijn. Veel mannen zeggen dat er pas iets begint te veranderen vanaf het moment dat ze de eerste echo meemaken. Het zien van een levend wezentje op het scherm van de echo (al is het vaak niet meer dan een kloppend hartje), doet veel vaders in spe (en ook moeders in spe) voor het eerst beseffen dat de zwangerschap werkelijkheid is. Vanaf dat moment wordt de betrokkenheid van de aanstaande vader vanzelf groter.
Ondanks dat je tijdens de zwangerschap niet dezelfde lichamelijke veranderingen ondergaat als je vrouw, heb je als vader in spe wel te maken met emotionele veranderingen. Ook jij kunt het ene moment blij en opgewonden zijn over de beginnende zwangerschap en een moment later je zorgen maken over jou, de baby, jullie toekomst samen. Mannen voelen meer dan vrouwen de verantwoordelijkheid van het onderhouden van een toekomstig gezin. En deze verantwoordelijkheid kan zwaar zijn, voor de ene man zwaarder dan de andere.

Kan een man ook 'zwanger' zijn?

De partners van zwangere vrouwen ondergaan ook hormonale veranderingen. Dat hebben onderzoekers aan de Kingston Universiteit in Canada kortgeleden aangetoond. Het testosterongehalte in het bloed van de vaders in spe zakte duidelijk in de weken voorafgaand aan de bevalling.

En steeg weer meteen na de bevalling. 'Zwangere' mannen bleken ook een hoger oestrogeen- en een lager cortisolgehalte te hebben dan een controlegroep van mannen waarvan de partner niet zwanger was. Volgens de onderzoekers zeggen deze hormonale veranderingen bij een man die vader gaat worden niets over zijn toekomstig gedrag als vader. Maar misschien dat je nu snapt waarom sommige mannen ook zo'n zin in augurken krijgen tijdens de zwangerschap van hun partner. En er zijn verloskundigen die beweren dat de buik van sommige partners net zo hard meegroeit als die van hun vrouw...

'Steeds beter'

Pieter: *"Voor mij waren die eerste zwangerschapsmaanden het moeilijkst. Natuurlijk was ik blij toen we ontdekten dat Marieke zwanger was. Maar het was nog zo onwerkelijk voor mij. Ik ging 's ochtends gewoon naar mijn werk en dacht er overdag hoogstens een paar keer aan. Dan sms'te ik haar even of alles nog goed was en kreeg ik meestal een sms'je terug dat ze zo moe was of dat haar borsten zo'n pijn deden. Ik zag Marieke veranderen, nog niet aan de buitenkant. Maar wel emotioneel. Ze kon zich soms zo terugtrekken dat ik echt moeite moest doen om haar nog te bereiken. Ze weerde me dan af, snauwde soms zelfs naar me en liet me alleen met mijn eigen emoties. Maar soms waren we ineens ook heel dicht bij elkaar. Dan accepteerde ze m'n hulp, kwam ze tegen me aanzitten en genoten we zwijgend van het idee van onze nieuwe toekomst. Na die eerste drie maanden ging het steeds beter. Ik ging mee naar de verloskundige en de eerste keer dat we het hartje hoorden, kreeg ik tranen in mijn ogen. Het was echt, helemaal echt."*

Jeugdherinneringen

Zowel bij jou als bij je partner komen er tijdens de zwangerschap af en toe onwillekeurig herinneringen naar boven aan je eigen jeugd. Deze kunnen een rol gaan spelen in jullie relatie.

Hoe was de relatie tussen jouw ouders vroeger toen jij klein was? En hoe was het bij je partner? Bedenk dat de voorbeelden die je hebt meegekregen uit je jeugd een rol kunnen gaan spelen tijdens zoiets ingrijpends als een zwangerschap. Het betekent niet dat je bij een slechte jeugd onmiddellijk in therapie zou moeten. Helemaal niet. Het betekent wel dat het goed is je bewust te zijn van deze 'familiepatronen' om je eigen en zijn gedrag en gevoelens te kunnen begrijpen. Zo'n 'familiepatroon' kun je beschouwen als een 'blauwdruk' voor je latere gedrag in je relatie. Denk samen eens na over jullie 'blauwdruk' of 'familiepatroon' en praat erover met elkaar. Wat wil je daarvan wel meenemen en wat niet?

Oefening

Vertel elkaar drie leuke herinneringen uit je jeugd. En daarna drie minder leuke herinneringen. Wat zou je willen dat jullie kind zich later (positief) herinnert uit zijn jeugd?

Gelukkig met elkaar

Is de basis van je relatie goed? Dan zorgt een zwangerschap voor een verdieping van jullie relatie. Is de basis wankel, dan kunnen een zwangerschap en de baby voor een verwijdering zorgen. Jammer, want jullie kind heeft recht op een vader en moeder die niet alleen gelukkig zijn met hem, maar ook met elkaar. Er gaat in de komende maanden heel wat veranderen. Hoe hou je je relatie vanaf nu in een goede conditie?

- Praat met elkaar over je emoties. Juist in deze eerste maanden kunnen die emoties heftig zijn. Probeer ze zoveel mogelijk met elkaar te delen. Heb je een partner die moeilijk over zijn of haar emoties praat? Begin dan eerst zelf en vraag of de ander dat ook zo voelt.
- Luister naar elkaars emoties. Praten met elkaar houdt ook in dat je hoort wat de ander zegt. Soms helpt het om elkaar vijf minuten de tijd te geven te zeggen wat er op je hart ligt. Daarna is de ander aan de beurt. Je mag elkaar in die vijf minuten niet onderbreken.
- Neem de tijd in deze eerste maanden om samen na te denken over wat

gaat komen. Onwillekeurig hebben jullie beiden tijdens die eerste maanden fantasieën over de toekomst. Die kunnen leuk zijn maar ook onzeker maken. Door ze te delen, kun je elkaar steunen, vooral in die onzekerheid.

- Geniet zo veel mogelijk van het feit dat je nog samen bent. Straks heb je veel minder tijd voor elkaar. Probeer minimaal twee avonden per week samen door te brengen. Dat kan thuis op de bank of in een restaurant of bioscoop. Maak samen wandelingen of ga fietsen. Het betekent niet dat je vanaf nu alles samen zou moeten doen. Een eigen leven leiden (werk, vrienden) naast de momenten die je samen bent houdt een relatie gezond.

Betrek hem erbij

Hoe kun je hem meer betrekken bij de zwangerschap? Probeer hem vanaf het begin duidelijk te maken wat je voelt en wat er met jou gebeurt. Deze maanden zijn best onzeker. De kans op een miskraam is nu het grootst. Deel ook deze zorg met hem. Maak hem duidelijk dat je hem nodig hebt, ondanks de wisselingen in je humeur.

'Laaiende ruzie'

Leo: *"Vanaf het moment dat ik hoorde dat Tanja zwanger was stortte ik me op mijn werk. Nou heb ik een eigen bedrijf en het altijd al druk, maar toen leek het alsof ik het ineens nog veel drukker had. Ik ging 's ochtends vroeg weg en kwam 's avonds niet voor achten thuis. Tanja en ik spraken elkaar nog nauwelijks. Elke dag flitste de zwangerschap en onze nieuwe toekomst door mijn hoofd. Het waren afwisselend leuke en minder leuke gedachten. Ik merkte dat mijn nieuwe verantwoordelijkheid, het financieel ondersteunen van mijn toekomstige gezin, een steeds zwaardere last aan het worden was. Tanja maakte steeds vaker bezwaar tegen mijn harde werken. Op een avond barstte de bom, we kregen laaiende ruzie over het feit dat ik vijf dagen per week alleen maar op de zaak was. 'Waarom doe je dat?' wierp ze me voor de voeten. Toen pas besefte ik dat ik deed als reactie op mijn angsten mijn vrouw en kind straks niet voldoende te kunnen onderhouden. Iets wat mijn vader vroeger niet had gedaan. Tanja en ik hebben meer tijd voor*

elkaar gemaakt en er samen veel over gepraat. Ze heeft me gerust-
gesteld dat we beiden verantwoordelijk zijn."

'Er veranderde niets'

Ellen: "Sam en ik gingen gewoon door met ons leventje toen ik zwanger
werd. We werkten allebei fulltime, we gingen nog steeds uit in het
weekend. Ik liet alleen de alcohol staan. Pas in de derde maand dacht
ik: moeten we niet wat voorbereiden en zo? Ik zei tegen Sam dat ik een
verloskundige ging zoeken. Toen antwoordde hij onmiddellijk: 'Dan ga
ik mee.' Op dat moment begreep ik dat de zwangerschap voor hem ook
iets begon te betekenen."

Sex in de eerste drie maanden

Zin of niet?

Veel vrouwen hebben de eerste drie maanden minder zin in vrijen. Dat
komt vooral door het feit dat je je lichamelijk misschien niet lekker voelt
tot de vierde maand. Misselijkheid, moeheid en gespannen borsten zijn nu
eenmaal niet bevorderlijk voor de zin in sex. Daarnaast kan de zin minder
worden omdat je misschien bang bent dat het niet goed is voor de baby.
Ook je partner kan hier bang voor zijn. Als je hiervoor bijvoorbeeld een
miskraam hebt gehad, wil je nu alles doen om weer een miskraam te voorkomen. Het is belangrijk om hierover met elkaar te praten. Doe je dat niet,
dat kan de ander zich afgewezen voelen.

Is sex gevaarlijk voor de baby?

Nee, een vrijpartij kan geen miskraam veroorzaken. Een miskraam heeft
altijd te maken met iets lichamelijks. Iets wat niet in orde is met de vrucht
of met jouw lichaam. Als dat het geval is, zal er ook een miskraam plaatsvinden als je geen sex hebt gehad.

Even over je vagina

De meeste zwangere vrouwen merken dat hun vagina bij het vrijen
vochtiger wordt. Dat heeft te maken met de hormonale veranderingen.
Meer vocht in de vagina is mooi meegenomen omdat daarmee het vrijen
soepeler en gemakkelijker gaat. Merk je dat jouw vagina niet vochtig

genoeg is? Gebruik dan wat glijmiddel of probeer tijdelijk een andere manier van vrijen te vinden waarmee je vagina 'met rust' wordt gelaten. Na de eerste drie maanden neemt bij de meeste vrouwen de zin in sex weer toe en daarmee ook de vochtigheid in de vagina.

Ander standje
Je borsten kunnen nu zo gevoelig zijn dat geen enkele aanraking prettig is. Het is goed om dat uit te leggen aan je partner omdat sommige mannen juist heel erg worden aangetrokken door de grotere borsten van hun vrouw. Ook kan het aloude standje 'hij boven, jij onder' nu wat ongemakkelijk worden juist vanwege je gevoelige borsten. De zijligging (allebei op je zij, met het gezicht naar elkaar of hij tegen jouw rug), bevalt de meeste vrouwen tijdens de zwangerschap beter.

'Geen zin'
Thera: *"In die eerste drie maanden had ik eerlijk gezegd helemaal geen zin meer in vrijen. Ik voelde me niet lekker, was vaak misselijk en mijn borsten deden pijn. Ik vond het vervelend om Bram te laten merken dat ik er geen zin in had. Bovendien was ik bang dat het niet goed was voor de zwangerschap. Ik had hiervoor al een miskraam gehad en ook al had die al heel vroeg in de zwangerschap plaatsgevonden, ik wilde zoiets niet nog eens meemaken. Bram had, leek het wel, juist meer zin om met mij te vrijen. Ik heb het hem kunnen uitleggen, hij reageerde heel begrijpend. Waar ik wel meer zin in had, was dicht tegen hem aanliggen of -zitten. Ik wilde graag geknuffeld worden, had een grote behoefte aan tederheid. Misschien juist wel omdat ik me helemaal niet lekker voelde en dan de aanwezigheid van Bram gewoon nodig had. Maar sex... alsjeblieft even niet. Gelukkig begreep hij dat. En gelukkig kwam de zin in vrijen in de maanden erna weer helemaal terug."*

'Meer dan ooit'
Els: *"Je hoort het niet vaak, maar ik had vanaf de dag dat ik over tijd was meer zin in vrijen dan ooit. En dat is de hele zwangerschap zo gebleven. Paul wist niet wat hem overkwam."*

Sex & zwangerschap: de feiten

Tijdens de eerste drie maanden van de zwangerschap heeft 96% van de vrouwen nog sex, van de derde tot de zesde maand wordt het al minder, namelijk 89%, en in de laatste drie maanden is het percentage vrouwen afgenomen tot 67%. Ongeveer de helft van de vrouwen masturbeert tijdens de zwangerschap (van de niet-zwangere vrouwen masturbeert 70% tot 80%). Ongeveer de helft van de vrouwen heeft tijdens de zwangerschap minder zin in sex.

Oefening: maak een dagboek

Het opschrijven van je gedachten en emoties is een techniek die vaak wordt gebruikt in de hulpverlening en counseling. Het heeft namelijk veel positieve effecten. Dat blijkt uit diverse onderzoeken. Schrijven ordent je gedachten, waardoor je je rustiger voelt. Door je gevoelens op te schrijven, dwing je jezelf na te denken over wat je voelt. Ook vervelende gedachten of herinneringen zijn goed om op te schrijven omdat schrijven het negatieve ervan relativeert. Bovendien is een positief effect van schrijven dat je anders tegen gebeurtenissen gaat aankijken. Als je bijvoorbeeld tegen de zwangerschap opziet, kun je dit gevoel, door het op te schrijven, ook relativeren. Het gevolg is dat je daarna een gevoel krijgt dat het allemaal wel meevalt. Je kunt een schrift of notitieboek kiezen als dagboek. Dan wordt het iets van jou, iets intiems. Maar je kunt ook op internet een dagboek maken, een weblog bijvoorbeeld, en anderen laten meegenieten en reageren!

To-do-list voor jullie beiden

- Een verloskundige zoeken, in de derde maand. Maak vast een afspraak en spreek met je partner af om er samen naartoe te gaan. Natuurlijk hoeft hij niet elke controle mee, maar de eerste keer (als jullie ook het hartje kunnen horen) is meestal voor beiden een bijzondere keer.
- Samen bespreken wie er blijft werken, hoeveel dagen, wie er gaat zorgen en hoeveel jullie beiden daaraan willen besteden.
- Samen bespreken hoe je de kinderopvang gaat oplossen. Hoewel de wachtlijsten minder lang zijn dan een aantal jaren geleden, moet je je voor opvang in een reguliere organisatie soms al opgeven vanaf het moment dat je weet dat je zwanger bent.

Je buik groeit

Blijf praten met elkaar

De eerste drie maanden zijn voorbij. Iedereen mag nu weten dat je zwanger bent! De tijd van het grote genieten samen is aangebroken. Al kunnen er in deze maanden ook misverstanden ontstaan tussen jou en je partner. Dus is het heel belangrijk om met elkaar in gesprek te blijven.

Als de eerste drie maanden voorbij zijn, breekt meestal de periode aan dat jullie beiden echt beginnen te genieten van de zwangerschap. Je gaat je lichamelijk vaak wat beter voelen. Bovendien is je angst voor een miskraam weg en kun je het vanaf nu aan de buitenwereld vertellen. Het is ook beter te zien dat je zwanger bent. Je borsten worden groter en je buik langzaam-aan ook. Je gaat voor het eerst naar de verloskundige of een gynaecoloog. Je vrienden en familie weten het nu en stellen er vragen over. Allemaal redenen waardoor een zwangerschap ook voor veel partners pas na de eerste drie maanden een beetje begint te leven.

'Autogordel'

Merel: "Natuurlijk was John blij met de zwangerschap. Maar aangezien ik weinig kwaaltjes had, merkte hij er ook niet veel van. We gingen onze gang zoals we altijd deden. Werken, uitgaan in het weekend, wandelen, naar vrienden. Maar de eerste keer dat hij het hartje hoorde, begon er iets te veranderen. Niet dat hij elke keer met me meeging naar de verlos-kundige, maar hij vroeg vaker hoe het met me ging. Ineens controleerde hij of ik mijn autogordel wel om had en mocht ik van hem niet meer in rokerige ruimtes komen."

'Voetballen'

Maarten: "Die eerste echo was echt geweldig. Het ontroerde me enorm om daar voor het eerst een paar beentjes en armpjes te zien bewegen. Maar wat me nóg meer deed dan die eerste echo was de eerste keer dat ik de baby kon voelen in Esthers buik. Ze was toen geloof ik ruim vijf maanden zwanger. Zijzelf had de baby al een paar keer gevoeld, maar telkens als ik mijn hand op haar buik legde, gebeurde er niets. Toen we op een zondagochtend nog wat lagen wakker te worden, pakte ze ineens m'n hand en legde die op haar buik. Daar voelde ik iets bewegen. Ik kuste Esthers buik en zei zachtjes: 'Ga je straks met papa voetballen?' Het handje draaide onmiddellijk naar mijn stem alsof het wilde zeggen: joepie, voetballen!"

Wel of niet?

Wel doen
1. Je leven verder leven;
2. een balans zoeken tussen je eigen leven en
3. afspraken maken over jullie leven

Niet doen
1. Van hem eisen dat hij
   alles met je samen doet;
2. verwachten dat hij net samen dingen doen;
   als jij de hele dag aan de baby denkt;
3. hem kneden volgens na de bevalling.
   jouw ideale-vader-plaatje.

Wat hem kan bezighouden

Wat kan er niet goed gaan in jullie relatie en wat kun je eraan doen?

Hij ziet op tegen een toekomst met kind

Sabine is vijf maanden zwanger en geniet met volle teugen van haar zwangerschap. Ze heeft zich samen met haar man Ernst lang verheugd op deze zwangerschap, want het duurde bijna drie jaar voor ze zwanger was. Zij heeft meer verdriet gehad van die jaren dan Ernst. Denkt ze. Ze hebben het er nooit echt over gehad. Als ze in de put zat als ze weer ongesteld werd, pepte hij haar op dat ze het samen toch ook goed hadden. Maar nu ze eenmaal zwanger is, kan ze alles weer aan. Ze voelt zich goed, is druk bezig met allerlei voorbereidingen, zit op zwangerschapsgym en is stiekem al de babykleertjes aan het uitzoeken. De laatste tijd hebben ze steeds vaker woorden. Sabine vindt dat Ernst niet genoeg interesse heeft in de zwangerschap en de baby. Hij wilde niet mee naar zwangerschapsgym ('Ik ga niet liggen puffen als een astmatische hond') en gaat de laatste maanden ook niet meer mee naar de controles bij de verloskundige ('Het is nu zo druk op het werk'). En als Sabine een nieuw gekocht babyhemdje laat zien, reageert hij onverschillig. Sabine wordt steeds geïrriteerder. Interesseert het hem niet meer? Het is toch ook zijn kind? In het begin was hij net zo blij als zij met deze zwangerschap. Wat is er aan de hand met hem?

Dit is er aan de hand

In de drie jaar dat Sabine en Ernst probeerden zwanger te worden, hebben ze ieder een eigen manier gevonden om dit proces te verwerken. Sabine weet niet goed hoe Ernst er in die tijd over dacht. Ze interpreteerde het gedrag van Ernst op haar manier zonder te checken of het wel waar was. Zo ontstaan in veel relaties misverstanden en miscommunicaties. Misschien heeft Ernst zich wel heel erg verheugd op een kind, maar voelde hij zich als man ook verantwoordelijk voor het geluk van zijn vrouw. Hij wilde Sabine troosten, haar verdriet wegnemen. Dat hij haar steeds oppepte, hoeft niet te betekenen dat hij het minder erg vond. Nu Sabine eindelijk zwanger is, voelt ze doordat haar lichaam verandert veel sterker hoezeer de zwangerschap werkelijkheid is. Mannen ervaren dat gevoel minder sterk. Zij voelen zich vaak erg verantwoordelijk voor de toekomst van hun gezin. En die verantwoordelijkheid valt Ernst nu misschien zwaar. Als gevolg wil Ernst de confrontatie met de zwangerschap (en dus met die verantwoordelijkheid) uit de weg gaan. Hij stort zich op zijn werk, vindt dat Sabine overdrijft met haar voorbereidingen en ontwijkt elke betrokkenheid. Ernst is bang voor de toekomst. Kan hij zijn vrouw en gezin wel onderhouden? Sabine gaat helemaal op in de zwangerschap, wat blijft er voor hem nog over? Hij mag straks vijf dagen per week zwoegen om te zorgen dat zij het goed hebben. Dat kunnen voor Ernst angstige gedachten zijn.

Wat kunnen ze doen?
Sabine en Ernst moeten samen praten over hun gezamenlijke toekomst. De eerste drie maanden was die nog onzeker en onduidelijk. Het laatste half jaar wordt deze steeds concreter. Daarover zullen ze zich wel moeten uitspreken. Als Sabine eenmaal beseft dat Ernst heel blij is maar ook onzeker over de toekomst, kunnen ze samen zoeken naar een manier waarop ze deze gevoelens kunnen oplossen. Het zal bijvoorbeeld al helpen als Sabine duidelijk maakt dat ze na de bevalling wil blijven werken. Ook zij zal dan een deel van de financiële verantwoordelijkheid op zich nemen.

Hij wil geen sex meer
Natasja is zeven maanden zwanger en trots op haar mooie ronde buik. Ze was vroeger slank, bijna mager en had (tot haar ongenoegen) kleine borsten. Nu heeft ze prachtige rondingen en zijn haar borsten eindelijk gegroeid. Vriendinnen maken haar complimenten dat ze er zo goed uitziet. Haar zelfvertrouwen is gegroeid. Daardoor heeft ze ook meer behoefte gekregen aan sex. Nu ze zichzelf veel mooier vindt, wil ze ook bewonderd worden door Freek, haar man. En dat is nu juist het probleem. Freek maakt nauwelijks opmerkingen over haar uiterlijk. Hij zegt hooguit dat ze niet meer op die hoge hakken moet lopen omdat ze dan makkelijker kan vallen. Als ze vraagt of hij haar lichaam mooi vindt, zegt hij natuurlijk 'ja'. Maar wat Natasja nog het meeste stoort, is dat Freek steeds minder vaak wil vrijen. Als ze 's avonds tegen hem aan ligt en hem streelt, zegt hij dat hij moe is. Of dat hij morgen vroeg op wil. Of hij heeft een ander smoesje. Zijn afwijzing irriteert Natasja steeds meer. Is hij soms op haar uitgekeken? Is hij niet blij met de zwangerschap?

Dit is er aan de hand
Vrouwen die zich goed voelen in de zwangerschap zijn ook meestal trots op hun groeiende lichaam. Veel partners zijn het daarmee eens. Sommige mannen kunnen erg opgewonden worden van alle 'nieuwe' rondingen aan

het lichaam van hun vrouw. Maar dat geldt niet voor elke man. Er zijn ook mannen die hun zwangere vrouw gewoon niet mooi vinden. Of wel mooi, maar helemaal niet sexueel aantrekkelijk. Daarnaast kan Freek bang zijn voor de gevolgen van sex voor de baby. Sommige mannen (en vrouwen) denken dat ze de baby kunnen beschadigen of dat het kind last kan hebben van het sperma of van haar orgasme. Die angst is niet nodig (zie later in dit hoofdstuk).

Wat kunnen ze doen?

Praten, begrip tonen voor elkaars gevoelens en proberen op sexgebied alternatieven te vinden. Praten met elkaar is nodig om duidelijkheid te krijgen over je eigen gevoelens en die duidelijkheid ook aan je partner te geven. Freek vindt het moeilijk om te zeggen dat hij niet meer opgewonden wordt van een zwanger lichaam. Maar hij kan ook zeggen: 'Ik vind je lichaam heel erg mooi nu, maar het is voor mij een zwanger lichaam en het kost me moeite om dat te associëren met sex en opwinding.' Als hij liever geen sex wil hebben, kan Freek haar lichaam strelen, haar in zijn armen nemen en haar op zo'n manier laten merken dat hij dol is op Natasja en op haar lichaam. Als Natasja zijn gevoelens begrijpt en op een andere manier (lichamelijke) aandacht van hem krijgt, voelt ze zich niet meer afgewezen.

De invloed van stress

Helemaal vermijden kun je ze waarschijnlijk niet, maar probeer toch om ruzies en conflicten tijdens je zwangerschap zoveel mogelijk uit de weg te gaan. Onderzoek heeft aangetoond dat stress een negatieve invloed heeft op de zwangerschap. Voorbeelden van stressfactoren zijn ontevredenheid met het eigen uiterlijk of ruzies met je partner of op het werk. Uit het onderzoek blijkt dat vrouwen met stress tijdens de zwangerschap grotere risico's lopen op een kind met een lager geboortegewicht.

Wat haar kan bezighouden

Ze trekt zich terug

Lidwien is zes maanden zwanger en was vanaf het begin gelukkig met
haar zwangerschap. Maar ze is niet iemand die haar geluk van de daken
schreeuwt. Ze reageert anders: ze trekt zich tijdens haar zwangerschap
alsmaar meer terug in zichzelf. Het lukt haar man Tom steeds minder goed
om contact met haar te krijgen. Ze was nooit een makkelijke prater, maar
nu wordt ze zelfs kribbig elke keer als Tom haar probeert te benaderen.
Tom wordt onzeker van dit gedrag. Hij denkt dat hij iets verkeerd doet, dat
Lidwien niet meer om hem geeft. Dat ze straks met baby en al bij hem weg
wil. Hij maakt zich zorgen over hun relatie en weet niet wat hij moet doen.

Dit is er aan de hand

Elke vrouw reageert anders op haar zwangerschap. Dat heeft deels ook
te maken met haar persoonlijkheid. Lidwien is van zichzelf al introvert.
Tijdens haar zwangerschap is dit voor haar een manier om met haar
verwarde gevoelens om te gaan. Ze vindt het moeilijk om over haar gevoel
te praten. Soms weet ze zelf niet eens goed wat ze voelt. Zich terugtrekken
kan daar een reactie op zijn. Het komt vaker voor dat vrouwen in zichzelf
keren tijdens de zwangerschap. De veranderingen in hun lichaam, het
besef van de aanwezigheid van nieuw leven in hun buik en de zorg om dit
kind kunnen al hun aandacht opeisen. Het heeft meestal niets te maken
met de partner.

Wat kunnen ze doen?

Het is jammer als de miscommunicatie in een relatie leidt tot verkeerde
interpretaties. Tom weet niet wat er met Lidwien aan de hand is en denkt
dat het door hem komt. Ondanks zijn moeite om contact met haar te
maken, lukt hem dat niet. Vaak komt dat doordat de manier van contact
maken niet goed was. Door bijvoorbeeld te vragen: 'Wat heb je toch? Zeg
het nou eens!' brengt hij Lidwien nog meer in verwarring. En zal ze zich
nog meer terugtrekken in haar eigen veilige wereldje. Het kan helpen als
Tom de vraag anders stelt. Hij kan in zijn vraag laten merken dat hij haar
wil helpen. Bijvoorbeeld: 'Ik wil zo graag dat we de zwangerschap wat meer
samen delen. Ik snap dat het moeilijk is om hierover te praten. Maar ik wil
je helpen.' Lidwien kan dan makkelijker antwoorden: 'Ik weet ook niet goed
wat er in me omgaat, maar het ligt niet aan jou. Ik hou nog steeds van je.'

Linda en Bas zijn twee fulltime werkende mensen. Komende week begint Linda's zwangerschapsverlof. Dan kan ze eindelijk beginnen met de voorbereidingen voor de bevalling. Tot nu toe gaat ze trouw elke week naar yoga, met Bas, en naar de controles bij de verloskundige. Ook met Bas. Maar wat Linda niet begrijpt is waarom Bas nu ineens geen zin heeft om komende week het bedje te kopen, de kleertjes uit te zoeken en achter de drukker aan te gaan voor de geboortekaartjes. Bas heeft het te druk zegt hij, en bovendien is er nog genoeg tijd. Linda snapt er niets van ('Het is toch ook jouw kind?') en het loopt uit op een ruzie.

Dit is er aan de hand
Tot de zwangerschap hadden Linda en Bas ieder hun eigen zelfstandige leven. Linda had haar baan, Bas ook. Ze hadden ieder hun eigen vrienden- groep. Sinds ze zwanger is, wil Linda steeds vaker dingen samen doen. Dat is Bas helemaal niet gewend. Het benauwt hem. Linda is juist bang dat Bas' zelfstandige leven leidt tot te weinig betrokkenheid van hem bij de zwangerschap – en straks bij de opvoeding van hun kind. Straks staat ze er nog alleen voor, denkt ze. En uit angst voor die gedachte probeert ze angstvallig nu al Bas zoveel mogelijk erbij te betrekken.

Wat kunnen ze doen?
Proberen om elkaars gevoelens te erkennen om zo begrip voor elkaar te krijgen. Je kunt allebei andere verwachtingen hebben. En als je die niet uitspreekt, kunnen er misverstanden ontstaan die jullie relatie op de proef stellen. Ook hier is het dus duidelijk hoe belangrijk het is om te praten, duidelijk te zijn, begrip te tonen en elkaars gevoelens te accepteren.

To-do-list voor jullie beiden

Maak afspraken over...
- zwangerschapsgym: gaat hij wel of niet mee?
- de taakverdeling tijdens de bevalling: wat kan hij doen?
- ouderschapsverlof: hoeveel verlof nemen jullie op?
- wel/niet blijven werken na de bevalling. En hoeveel dagen gaat hij 'zorgen'?

'Things to do'

Theo: "We waren het er snel over eens. Ik zou niet meegaan naar de yogacursus, maar wel op de laatste keer voor de bevalling erbij zijn, tijdens de 'partneravond'. Verder hebben we een lijst gemaakt van dingen die moesten gebeuren als de bevalling zou beginnen. Ik wilde weten wat ik moest doen als er onverwacht meteen actie moest plaatsvinden. Elly wilde het liefst thuis bevallen op een kruk. Maar als het allemaal niet meer zou gaan, zouden we het overlaten aan de vroedvrouw. Elly wilde niet dat ik beslissingen zou nemen zonder met haar te overleggen. Na de bevalling zou ik na vier weken ouderschapsverlof opnemen en een dag in de week minder gaan werken. Die dag zou dan mijn papadag worden. Elly wilde drie dagen gaan werken en twee dagen in de week zou mijn moeder voor opvang zorgen."

Mooiste maanden

De meeste vrouwen vinden de vierde tot en met de zesde maand de mooiste zwangerschapsmaanden. Omdat...
• je lichaam nu op zijn mooist is
• je je nu nog fit genoeg voelt
• je misselijkheid meestal over is
• je buik nog niet in de weg zit
• iedereen je buik nu kan zien
• je je kind voelt
• je huid straalt
• je nog geen last hebt van vermoeide benen
• je op een echo nu alles heel duidelijk kan zien
• het vrijen nog zonder ongemakken gaat

'Nestkriebels'

De laatste drie maanden van je zwangerschap zijn meestal de zwaarste. Je buik groeit nu het hardst, ook omdat je in de laatste weken niet meer hoeft te werken. Je krijgt dan meer rust, waardoor je kind sneller groeit. Je wordt sneller moe en kunt last krijgen van je blaas en van je maag omdat je kind zowel aan de bovenkant als aan de onderkant van je buik drukt. Voor je partner is het nu overduidelijk dat hij binnenkort vader wordt. Er is geen ontkomen meer aan. Dat kan betekenen dat hij meer betrokken raakt bij de zwangerschap, zich wil voorbereiden op de bevalling en ook net als jij in de laatste weken 'nestkriebels' krijgt. Hij wil de kinderkamer klaar hebben en maakt zich zorgen of alles wel op tijd af is. Daar staat tegenover dat sommige vrouwen in de laatste drie maanden in zichzelf gekeerd raken. De baby is nu zo aanwezig in hun buik dat hij steeds meer aandacht vraagt.

Angst voor de bevalling

Wat is zijn rol tijdens de bevalling? Ook daarover moet je nu eigenlijk met je partner praten. Het is nog maar tientallen jaren gewoon dat vaders bij de geboorte van hun kind mogen zijn. Vijftig jaar geleden was dat nog helemaal niet gebruikelijk. Nu wordt er automatisch vanuit gegaan dat alle vaders enthousiast uitkijken naar de bevalling. Dat zou ideaal zijn, maar lang niet elke man ziet ernaar uit. Sommige mannen zijn ronduit bang om hun vrouw zoveel pijn te zien hebben. Of ze weten niet of ze wel tegen veel bloed kunnen. Hij kan (net als jij) als een berg tegen dit moment opzien. Reden genoeg om hierover met elkaar te praten, elkaars emoties aan te horen en er begrip voor te hebben. Uiteindelijk zul jij het zware werk moeten doen. Maar de aanwezigheid van je partner daarbij is natuurlijk heel belangrijk.

Ander standje

In het tweede trimester van je zwangerschap kan de sex veel prettiger worden. Er is dan een betere bloedtoevoer naar de onderbuik. En daardoor kun je gevoeliger worden rond de geslachtsdelen. Veel vrouwen zeggen ook dat hun orgasmes nu langer duren en intenser aanvoelen. Door de hormonale veranderingen in je lichaam wordt je vagina niet alleen beter doorbloed, maar bovendien sneller vochtiger. Ook dat maakt de sex prettiger.

De steeds dikker wordende buik maakt het vrijen in de laatste drie maanden vaak weer wat minder prettig. De buik zit in de weg tijdens het vrijen en sommige standjes zijn niet meer fijn of haalbaar. Allebei op de zij liggen bevalt dan vaak nog het best. Of zoek zelf naar een standje dat jullie beiden plezierig vinden. Door de druk van je baarmoeder op je vagina wordt de vagina iets korter. Dat kun je voelen tijdens het vrijen. Het kan op zich absoluut geen kwaad, maar voelt meestal niet prettig aan. Doordat de plasbuis wat wijder wordt onder invloed van hormonen, neemt de kans op blaasontstekingen in deze maanden weer toe. Meer water drinken is de oplossing.

Harde buiken

In de laatste weken kun je na een orgasme last hebben van harde buiken. Harde buiken zijn niet slecht voor de baby en versnellen de bevalling niet.

Geen vrij-stop

Je kunt rustig sex hebben tot vlak voor de bevalling, als jullie dat tenminste allebei willen. Het is nooit aangetoond dat sex kan leiden tot een voortijdige bevalling. Alleen als je vliezen eenmaal gebroken zijn, mag je geen sex meer hebben. Maar dan heb je waarschijnlijk ook wel wat anders aan je hoofd.

'Orgasme'

Amanda: *"Ik had tijdens mijn hele zwangerschap opvallend meer zin in sex. We hebben zelfs nog gevreeën op de avond voordat de weeën begonnen. Ik was al een dag over tijd, dus het kon me weinig schelen of mijn orgasme de bevalling op gang zou brengen. Een paar uur later kreeg ik mijn eerste weeën."*

'Weinig zin'

Bart: *"Hoe aantrekkelijk ik Joke ook vond tijdens de zwangerschap, de laatste weken voor de bevalling hadden we beiden eigenlijk weinig zin meer in sex. Het leek wel alsof we ons allebei al aan het voorbereiden waren op onze nieuwe rollen als vader en moeder."*

Sex & zwangerschap: de feiten

Hoe ging het met de sex tijdens de zwangerschap, vroeg *Ouders van Nu* onlangs aan lezeressen. Dit zijn de antwoorden:

* 64% van de vrouwen had tijdens de zwangerschap minder sex dan ervoor.

* Bijna 75% van de vrouwen zei dat ze vrijen tijdens de zwangerschap fijn vond.

* Ruim de helft van de vrouwen die blijven vrijen tijdens de zwangerschap doen dat tot vlak voor de bevalling. De andere helft had er al eerder minder zin in.

Uit Amerikaans onderzoek blijkt dat bij 75% van de zwangere vrouwen de zin in het laatste trimester afneemt. Hetzelfde gebeurt ook bij mannen:

64% had in het laatste trimester minder zin om te vrijen.

Oefening

Schrijf ieder op een blaadje vijf manieren waarop je wel eens laat merken dat je van je partner houdt. De manieren kunnen variëren van 'als ik je een ontbijtje op bed breng' tot 'door met je te vrijen' of 'door je een lekker kopje koffie te geven'. Ieder moet zijn eigen manieren bedenken. Schrijf ze op zonder met elkaar te overleggen. Pas als je ze allebei af hebt, mag je ze voorlezen aan elkaar. Neem je voor om vanaf nu elke dag een van de manieren in praktijk te brengen.

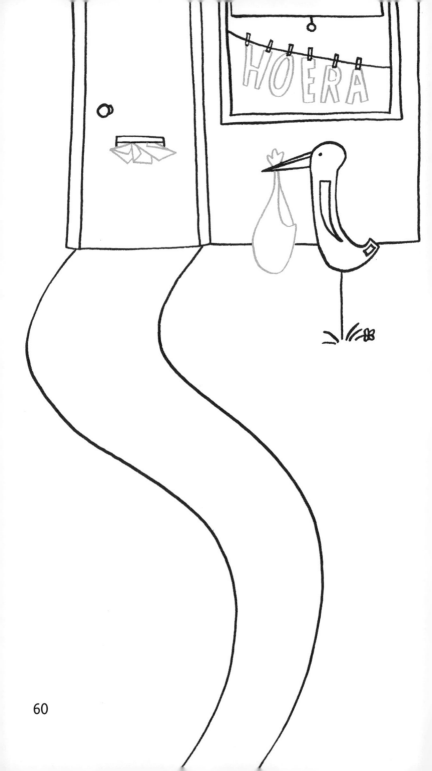

Het is zover!

Hoe jullie de bevalling samen beleven

De geboorte van je eerste kind is een van de meest ingrijpende gebeurtenissen in een relatie. Deze ervaring verbindt, intensiveert, verdiept en verstevigt jullie relatie. Hoe het hierna ook tussen jullie zal gaan, deze belevenis samen zal jullie voor altijd op een of andere manier blijven binden.

'Het grote moment'

Robin: "Tijdens de hele zwangerschap heb ik Marjolijn haar gangetje laten gaan. Zo wilde ze het 't liefst. De baby stond eerlijk gezegd nog heel ver van mij af. Ik kon me er weinig bij voorstellen. Maar toen het grote moment zich aankondigde, veranderde alles compleet. In een grote klap werd ik meegezogen in een gebeurtenis die ik mijn leven niet zal vergeten."

'Kip zonder kop'

Hanna: "Sander was tijdens mijn zwangerschap een ideale, meelevende man. Lief, begrijpend, zorgzaam – wat wil je nog meer als zwangere vrouw? Ik dacht dat we allebei goed waren voorbereid op de bevalling. Maar het loopt blijkbaar altijd anders dan je hebt gepland. Sander veranderde in een hulpeloze, zenuwachtige, besluitloze man die als een kip zonder kop heen en weer rende en iedereen voor de voeten liep. Achteraf ook wel heel aandoenlijk."

Op naar de bevalling

Hoe bereiden vaders en moeders in spe zich voor op de bevalling? Uit onderzoek blijkt dat veertig procent van de mannen zich tijdens de zwangerschap een tot vijf uur hebben voorbereid op de bevalling en het vaderschap. Mannen laten zich vooral door hun vrouw informeren en lezen er weinig tot geen boeken over. Dertig procent zegt zich zelfs helemaal niet te hebben voorbereid. Vrouwen bereiden zich minimaal een uur per dag voor gedurende hun hele zwangerschap, door er veel over na te denken en veel te lezen in boeken en tijdschriften.

'Alles vergeten'

Annemieke: *"Gelukkig kwam Maarten er zelf mee dat hij een boek over bevallen wilde lezen. Zo kon hij zich ook een beetje voorbereiden, zei hij. Maar toen puntje bij paaltje kwam, bleek hij vrijwel alles te zijn vergeten wat hij had gelezen. Hij gaf totaal verkeerde aanwijzingen bij het wegpuffen van de weeën. Het enige wat hij nog wist uit het boek is dat hij de verloskundige moest helpen om alle spulllen de trap op te sjouwen. Dat heeft hij dan ook keurig gedaan."*

Hou alles open

Hoe goed je je allebei ook voorbereidt op de komende bevalling, je weet nooit precies wat er gaat gebeuren. Niemand weet ook van tevoren hoe hij of zij zal reageren in een dergelijke situatie. Het kan dus allemaal heel anders lopen dan je dacht of hoopte. Je moet je voorstellen dat een bevalling een gebeurtenis is die jullie beiden nog nooit hebben meegemaakt. Ben je wel eens bij de bevalling van een vriendin of zus geweest? Bij jou kan het totaal anders gaan. En dat maakt het allemaal juist zo spannend.

'Heel anders'

Lonneke: *"Ik ben zelf verloskundige en voor ik zwanger werd, had ik al honderden bevallingen van andere vrouwen begeleid. Iedere keer sta ik*

*weer versteld hoe een vrouw in barensnood kan reageren. Maar ook hoe
een man kan reageren is elke keer weer een verrassing. Alles heb ik al
een keertje meegemaakt. Een bevalling in een volle kamer met luidruch-
tige vrienden en familieleden. Maar ook een bevalling in stilte waarbij
de vrouw noch de man ook maar een geluid maakte! Zelfs de baby was
even stil toen hij ter wereld kwam. Hij doorbrak de stilte pas na een
kwartier met zachte kleine geluidjes. Ik heb rustige vaders en vaders
in blinde paniek meegemaakt. Gillende moeders en zachtjes persende
moeders. Natuurlijk heb ik in de loop der jaren een beeld gecreëerd van
hoe ik zelf zou zijn – en willen zijn – tijdens mijn eigen bevalling. Maar
weet je? Toen het zover was, ging het allemaal anders. Ik heb niets
gehoord van wat mijn man me heeft toegefluisterd. Heb niets gemerkt
van zijn steun en hulp. Het enige waarvoor ik in die uren aandacht had,
waren de woorden van mijn eigen vroedvrouw. Ik gaf me helemaal aan
haar over, zij werd mijn leider en niet mijn man. Uit haar gezicht en
uit de klank van haar woorden kon ik opmaken hoever het was, of ik
moest opschieten en of het goed ging. Het heeft me heel erg gewezen op
het grote belang van mijn eigen rol als vroedvrouw. Maar ondanks dat
ik mijn eigen man zowat was vergeten, had ik zijn aanwezigheid nooit
willen missen."*

Van schrikken tot schuldgevoel
Veel voorkomende reacties van mannen tijdens een bevalling zijn:

Schrikken van de pijn
Sommige mannen weten niet goed hoe te reageren als ze zien hoe de
vrouw van wie ze houden intense pijn heeft. Ze willen niets liever dan haar
beschermen en zorgen dat de pijn minder wordt. Tegelijkertijd beseffen ze
dat de pijn tijdens de bevalling een functie heeft. Maar elke man zal tijdens
de bevalling een moment ervaren waarop hij eigenlijk zou willen ingrijpen.
Hij vraagt zich af of er iets aan de pijn kan worden gedaan. En soms vraagt
hij het ook letterlijk.

Zich machteloos en nutteloos voelen
Al betrek je je partner nog zo vaak bij de zwangerschap, de bevalling moet
je toch echt voor het grootste deel alleen doen. Je man is zich daarvan
tijdens al die uren zeer bewust. Hij zou zo graag willen helpen: hij zou de

pijn willen verminderen, hij zou willen dat de hele bevalling in vijf minuut-
jes gepiept was. Maar hij kan er niets aan veranderen. Als in jullie relatie de
rollen zo zijn verdeeld dat je partner altijd zorgt dat alle problemen worden
opgelost, zal hij nu alles aan jou moeten overlaten. En dat is niet altijd
gemakkelijk. Wat het wel tot gevolg heeft? Een heilig ontzag voor jouw
baringsprestatie.

Zich schuldig voelen

Een man die niets kan doen aan een situatie waarin hij zijn vrouw in haar
eentje ziet zwoegen en werken, kan zich hierover schuldig gaan voelen.
Als jullie gewend zijn in jullie relatie alles samen te doen, zowel de leuke
als de minder leuke dingen eerlijk samen te delen, is een bevalling voor
een dergelijke partner even wat anders. Al het werk wordt nu door jou
gedaan. Hij kan zich schuldig gaan voelen dat hij niet meer heeft kunnen
betekenen voor jou in die situatie. Had ik maar dit gedaan, had ik maar dat
gedaan, flitst het na de bevalling voortdurend door zijn hoofd. De kans op
zo'n schuldgevoel is groter wanneer hij anderen rondom jou ziet rennen en
racen. En als alles wat hij doet uit handen wordt genomen. Of als hij door
jou wordt afgesnauwd.

Moeite de leiding uit handen te geven

Mannen genoeg die gewend zijn om snel in een leidersrol te stappen – in
hun werk, maar ook thuis. In de meeste gevallen gaat hen zo'n leidersrol
ook goed af. Maar tijdens een bevalling kan hij maar beter op de achter-
grond blijven. De leiding tijdens een bevalling heeft de verloskundige of
de gynaecoloog. En niemand anders. Als er iets moet worden gedaan, zal
diegene het zeggen of vragen. Wat dit type partner wel kan doen, hangt
ook af van jullie afspraken vooraf. En natuurlijk van je wensen tijdens de
bevalling zelf.

'Bemoeial'

Niek: *"Ik weet het van mezelf: van nature ben ik een echt baasje. Waar
we ook zijn – thuis, op het werk of op vakantie – ik neem automatisch
het heft in handen en bedenk wat er moet gebeuren. Zelf noem ik dat
initiatiefrijk en leidinggevend. Maar ik heb ook wel eens gehoord dat
mensen me een bemoeial en dominant vinden. Dus je kunt je voorstellen hoe ik me voelde toen Mariet moest bevallen. Ik nam onmiddellijk*

de zaak over. Belde Trees de vroedvrouw, zorgde dat alles klaarlag en gaf aanwijzingen aan Mariet hoe ze moest ademen. Toen Trees aankwam, nam ze me in de keuken even apart. 'Zou je vanaf nu tot de baby er is je mond willen houden?' vroeg ze. 'Ik moet nu mijn werk kunnen doen en dat betekent dat ik degene ben die Mariet ga zeggen wat ze wel en niet moet doen. Bovendien ga ik jou ook aanwijzingen geven. Afgesproken?' Ik heb m'n best gedaan. Later hoorde ik van Mariet dat ze al die uren dacht dat ik in een andere kamer zat, ze had mijn aanwezigheid niet eens opgemerkt. Eigenlijk beschouw ik dat als een compliment."

What women want...

Dit zeggen vrouwen als je ze vraagt wat de belangrijkste rol is voor hun partner tijdens de bevalling.

- aanwezig zijn
- niet te veel praten
- een hand om in te knijpen
- iemand om tegenaan te leunen
- iemand op wie je niet hoeft te letten

En wat wil jij?

Weet jij al wat jij wilt tijdens de bevalling? Wat zou je partner voor jou kunnen doen? Wil je dat hij een passieve maar aanwezige steun en toeverlaat is (dit willen de meeste vrouwen)? Wil je dat hij de rol van fotograaf en filmer krijgt? Bedenk dan wel dat hij je in die rol niet meer kan steunen. Of wil je dat hij actief met je mee puft en mee hijgt? Jij mag het zeggen: de bevalling wordt helemaal jouw 'feestje'.

Bedenk goed wat je van je partner verwacht en bespreek dat met elkaar. Niets is vervelender dan achteraf met het gevoel te zitten dat je hem zo vond tegenvallen. Of dat je had gedacht dat hij zich heel anders zou opstellen. Niet aan jouw verwachtingen kunnen voldoen kan ook je partner achteraf parten spelen. Je kunt dit gevoel voorkomen door er van tevoren samen over te praten. Stel geen hoge eisen, verwacht geen topprestaties van hem. Het allerbelangrijkste wat hij kan doen is zorgen dat jij je niet al te ongemakkelijk voelt. Vaak is zijn aanwezigheid al voldoende.

Het gaat om jou

Jij moet jullie kind baren, en daar moet je je goed op kunnen concentreren. Wat je partner en jij dus echt moeten voorkomen, is dat jij voor zijn welzijn moet zorgen.

Eén bevalling, twee ervaringen

Haar bevalling

Titia: *"Toen 's nachts de eerste weeën begonnen, lag Thieme nog lekker naast me te snurken. Ik heb eerst drie kwartier gewacht en liggen denken: dit zijn de laatste uurtjes samen. Daar wilde ik nog even van genieten. Ineens kreeg ik heimwee naar de tijd met zijn tweeën en dacht: als ik maar stil blijf liggen, kan ik het nog even uitstellen. Maar de weeën werden erger, dus maakte ik Thieme wakker. 'Het gaat beginnen,' zei ik zachtjes en rustig, maar hij was meteen in paniek. Had ik maar niks gezegd, dacht ik, daar gaat de rust. Thieme stoof naar de telefoon en naar de badkamer, schreeuwde ondertussen naar me of alles nog goed ging en holde weer terug met de telefoon in zijn ene hand en zijn overhemd in zijn andere hand. Ondertussen vloekend waarom er niet werd opgenomen. Vanaf dat moment was er geen seconde rust meer. De verloskundige kwam, het persen ging niet vlot. We moesten naar het ziekenhuis, daar werd het een kunstbevalling. Alles ging als een roes aan me voorbij. Het enige wat voortdurend vooraan in mijn bewustzijn gebeurde, was het zenuwachtige geren van Thieme. Ik herinner me nog dat ik op een gegeven moment fluisterde: 'Doe nou eens een beetje rustig.' Dan hield hij zich even in en vervolgens begon hij weer. Ik merkte nauwelijks iets van wat er in de verloskamer gebeurde. Soms gaf iemand me een hand, maar het kon me allemaal gestolen worden. Ik wilde dat het opschoot. De baby moest eruit. Eindelijk gebeurde er wat. Ik hoorde in de verte mensen praten tot ik voelde dat de baby eruit gleed. Het was voorbij. Ik had een zoon. Toen pas zag ik dat Thieme met zijn armen om me heen zat en dat de tranen over zijn wangen rolden."*

Zijn bevalling

Thieme: *"Midden in de nacht maakte Titia me wakker. Ze zag er verhit uit en ik schrok ervan. Waarom had ze me niet veel eerder wakker*

gemaakt? Misschien zou het allemaal heel snel gaan, je wist het maar
nooit. Ik sprong mijn bed uit om het telefoonnummer van de vroed-
vrouw te bellen. Waar had Tiets haar koffertje neergezet? Wie weet
hadden we dat nog nodig. Straks zou er geen tijd meer zijn. Ik wilde
alles snel geregeld hebben voordat ik helemaal nodig was voor Titia.
Ze werd steeds minder aanspreekbaar, dus kwam alles nu op mijn
schouders terecht. Toen de verloskundige kwam, ik weet niet meer hoe
ze heette, bleek Tiets al meteen te mogen persen. Maar ze was veel te
vermoeid. Het persen vlotte niet en de vroedvrouw zei tegen me dat we
echt naar het ziekenhuis moesten. Shit, dacht ik, nu gaat het fout. Met
gierende banden zijn we door alle rode stoplichten naar het ziekenhuis
gereden. Ik merkte dat we ons echt moesten haasten en er stond al een
heel team klaar. De hartslag bleek verzwakt te zijn, dus er moest snel
actie komen. Alles wat ik kon doen, was Titia steunen, haar aan-
moedigen en haar rustig houden. En hopen dat het allemaal goed ging.
En het ging goed. We hebben een gezonde zoon. Wat was ik trots op
mijn sterke Tiets."

Hoe het daarna ging

Dezelfde bevalling. Maar door Titia en Thieme toch heel verschillend
ervaren. Dat komt doordat beiden op heel verschillende dingen letten.
Zij is gevoelig voor alles wat met haar lichaam, de baby en haarzelf te
maken heeft. Het gevoel van de weeën en het op alle mogelijke manieren
geconcentreerd bezig zijn met zichzelf onder controle houden. Dat doet
haar alles om zich heen vergeten – behalve degene die het dichtst bij haar
staat: Thieme. Daarom merkt ze ook onmiddellijk zijn tranen van geluk.
Hij daarentegen heeft veel meer oog voor het proces, voor de omgeving,
voor de kleinste signalen die hem informatie geven of er gehandeld moet
worden. Als man wil hij zijn vrouw en gezin beschermen. Kijkt die dokter
zorgelijk? Misschien gaat het niet goed. Er wordt assistentie bij gevraagd,
dan moet er nu snel gehandeld worden, denkt hij. En dat hij aan het eind
van blijdschap en geluk heeft moeten huilen? Dat is hij alweer vergeten.
Onbelangrijk.
Na de bevalling hebben Titia en Thieme elke dag nog vele malen de bevalling samen herbeleefd. Tot de twee films die eerst zo verschillend waren
langzaam in elkaar overvloeiden tot een gezamenlijke herinnering.

Mannen & hormonen

Mensen die heel dicht bij elkaar staan, kunnen elkaars emoties overnemen. In onderzoek is aangetoond dat mensen werkelijk een toename van stresshormonen hebben bij het getuige zijn van pijn bij een ander. Dat zien we bijvoorbeeld als we iemand zichzelf met een hamer per ongeluk op de vingers zien slaan. Of als je een vriend een dramatische ervaring hoort vertellen.

Zo kunnen ook echtgenoten dezelfde mate van pijn en ongemakken vertonen als hun vrouw in barensnood. Aldus verpleegkundigen, verloskundigen en gynaecologen. Zij zien dat sommige mannen dezelfde gezichtsexpressies vertonen van pijn en dat hun lichaam dezelfde persbewegingen maakt als hun vrouw. Zo blijkt in het bloed van toekomstige vaders ook een toename van het hormoon prolactine te zijn gevonden. Dit hormoon zorgt bij zwangere en zogende vrouwen onder andere voor de bekende moedergevoelens, de behoefte om te zorgen. Dit noemen we ook wel 'couvade-syndroom'. Mannen hebben een piek aan prolactine in de periode van drie weken voorafgaand aan de bevalling tot enkele weken na de bevalling. Verder bleek in die periode ook hun testosterongehalte drastisch gedaald.

Met zijn drieën

Samen de eerste weken door

Jullie kind is geboren! Hier ligt het resultaat van jullie liefde voor elkaar. Hoe blij en gelukkig jullie ook zijn, het wordt wel even anders nu er zo'n handenbindertje in huis woont. Misschien beleven jullie de komst van de baby heel verschillend. En er is hoe dan ook minder tijd en aandacht voor elkaar.

Hoe je bevalling ook is geweest, de eerste dagen na de geboorte van je kind ben je in de zevende hemel. Zoveel inspanning als de bevalling je heeft gekost, zoveel energie komt er voor terug vanaf het moment dat je kind in je armen ligt. Dat heeft te maken met het hormoon endorfine dat na de bevalling vrijkomt, ook wel gelukshormoon genoemd. Voor de nieuwe vaders ligt dat iets anders. Hormonaal verandert hun lichaam nauwelijks voor, tijdens en na de bevalling (zie vorige hoofdstuk). De meeste vaders kost het alleen maar heel veel nachtrust, zeker als de baby 's nachts wordt geboren. Meestal is het zo dat een paar uur na de geboorte van jullie kind de vader indommelt of naar huis gaat om te slapen. Terwijl jij als kersverse moeder nog vol energie met wijdopen ogen ligt te staren naar je baby.

'Hyper van de energie'

Elize: "Ik ben in het ziekenhuis bevallen, 's nachts om half vijf. Vanaf zeven uur die ochtend ervoor heb ik weeën gehad en ben ik keihard aan het werk geweest. Zeker de laatste paar uren waren heel zwaar. Maar vanaf het moment dat onze Bas er eindelijk was, was ik alle pijn, zweet en tranen vergeten. Mijn lichaam stroomde vol met moederliefde en dat gaf me zoveel energie dat ik helemaal hyper werd. Vince lag met tranen in zijn ogen onophoudelijk naar zijn zoon te staren. Hij hield hem in zijn armen, kuste hem zachtjes en was net zo gelukkig als ik. Om zeven uur 's ochtends zag ik dat Vince begon in te storten. Hij zakte weg in zijn stoel terwijl ik vol energie tegen hem aan zat te praten. Op een gegeven moment zei hij dat hij naar huis wilde om even te slapen, daarna wilde hij meteen terugkomen. Slapen? dacht ik verontwaardigd. Heb jij zo hard gewerkt dan? Als ik nog helemaal niet moe ben, kun jij het helemaal niet zijn. Ik was teleurgesteld en begreep pas later dat mijn energie met mijn hormonen te maken had."

'Slapen. Heel lang slapen'

Jelle: *"Voor mij was het belangrijkste moment na de geboorte toen ik mijn dochter voor het eerst in mijn armen mocht nemen. Negen maanden lang had Brit, mijn vrouw, haar gedragen en gekoesterd. Zij hadden samen al een band kunnen ontwikkelen. Maar pas toen ze in mijn armen lag, besefte ik voor het eerst dat dit mijn kind mijn dochter was. Een onbeschrijflijke moeheid overviel me. Waarschijnlijk viel ineens alle spanning van me af. Nadat ik haar naast Brit had gelegd, was het enige wat ik wilde slapen. Heel lang slapen. Maar omdat het nog steeds een en al bedrijvigheid was in de slaapkamer, ben ik zachtjes naar beneden geslopen en op de bank gaan liggen. Ik had even die stilte om me heen nodig."*

Samen genieten

Een paar uur na de bevalling wordt het weer stil in huis of in het ziekenhuis. Dan breekt voor het eerst een moment aan waarop je samen met je partner kunt genieten van jullie kind. Voor jullie relatie is dat moment heel belangrijk. Zijn er vrienden of familieleden bij de bevalling geweest, zorg dan dus dat ze op een gegeven moment weer weggaan. In een ziekenhuis gaat dat meestal vanzelf. Artsen en verpleegkundigen die vertrekken zorgen ervoor dat de rest van het bezoek ook naar huis gaat.

Dat moment samen, of eigenlijk met zijn drieën, zorgt voor de 'binding' tussen jullie drieën. Hier ligt het resultaat van jullie liefde voor elkaar. Dit kind is van jullie beiden en zal jullie voor eeuwig binden. Zelfs als jullie relatie ooit niet meer zou bestaan.

Dit moment is eigenlijk ook het begin van een nieuwe relatie tussen jou en je partner. Het klinkt misschien overdreven, maar in de komende jaren zullen jullie alleen maar samen zijn op momenten die je moet plannen en van tevoren moet afspreken. Je zult vanaf nu meer moeite moeten doen om de

relatie op peil te houden. Het gaat niet vanzelf. Bedenk dat een pasgeboren
baby veel aandacht opeist, dag en nacht. Voorlopig zijn de momenten die
je samen hebt zeldzaam.

Poortwachter

Wat kun je als kersverse vader doen in deze periode na de bevalling? Heel
veel! De eerste dagen kun je als een soort poortwachter of portier de
telefoontjes en het bezoekjes 'zeven'. Is het die vervelende collega die wil
langskomen? Jammer, laat haar nog maar even wachten. De schoonzus
met die drie drukke kinderen? Kom over een weekje maar terug. Oma's en
opa's die zitten te popelen om het kleinkind in de armen te nemen mogen
blijven zolang de moeder in het kraambed het zelf wil.

Verder kunnen jullie samen bepalen en regelen wie en welke hulptroepen er moeten worden ingeschakeld. Maak het jullie vooral zo makkelijk
mogelijk. Haal een voorraad magnetron- of kant-en-klaarmaaltijden in huis.
Stop de vriezer vol. Is er iemand die aanbiedt om eens te koken? Meteen
aannemen!

Tip

De eerste week is de kraamverzorgende er elke dag. Als kersverse vader
heb je dan misschien de neiging om snel weer aan het werk te gaan om zo
je vrije dagen voor later te bewaren. Toch is het juist in die eerste dagen fijn
om thuis te zijn. Je kunt dan meehelpen met de dagelijkse verzorging van
een baby, al is het maar een paar uurtjes per dag.

Poepluiers en de rest

Wat kun je als vader doen voor de baby? Vanaf het begin kun je je storten
op de verzorging. Poepluiers verschonen. In bad doen. Meehelpen kleertjes uitzoeken en aandoen. Zorg dat je veel lichamelijk contact hebt met je
kind. Dat is van essentieel belang voor zijn ontwikkeling en voor de band
met jou als vader.

Hou je kind enkele keren per dag tegen je aan, wieg en knuffel hem volop.
En praat gezellig tegen hem, want een pasgeboren baby herkent al stemmen. Eerst die van zijn moeder, maar al snel ook die van jou als vader.

Vaderverlof

Als de baby er is, is het erg fijn als de vader ook een paar dagen vrij heeft om van zijn nieuwe kind te genieten. Wettelijk hebben vaders recht op twee dagen kraamverlof na de bevalling. Volgens het Sociaal Cultureel Planbureau maakt de helft (51%) van de kersverse vaders van dit kraamverlof gebruik. Nog meer vaders (67%) nemen vakantiedagen op en blijft ongeveer twee weken thuis na de bevalling. En slechts 3% neemt daarna ook ouderschapsverlof op. Daarbij mag je per week maximaal de helft van je werkuren onbetaald opnemen tot je kind tien jaar oud is. Ouderschapsverlof mag zowel een vader als een moeder opnemen, maar er wordt in Nederland maar weinig gebruik van gemaakt. Als belangrijkste redenen worden genoemd dat het financieel niet haalbaar is en dat er toch goede kinderopvang aanwezig is.

Uit balans

Hoe klein een pasgeboren baby ook is, hij heeft al veel invloed op jullie relatie. Dat kun je je pas voorstellen als je het meemaakt. Stel je eens voor dat er op een dag zomaar een vreemde bij jullie in huis komt wonen. Het is een persoon op wie een van jullie beiden onmiddellijk verliefd wordt. Deze vreemdeling houdt jullie vervolgens ook nog eens elke nacht uit jullie slaap. Hij gedraagt zich heel onvoorspelbaar, huilt veel, is soms ontroostbaar en slurpt al jullie aandacht op. Wat doet zo'n gebeurtenis met je relatie? Kun je je er al iets bij voorstellen? Begrijp je ook hoe gemakkelijk deze nieuwe huisgenoot jullie twee-eenheid uit balans haalt? In deze eerste weken na de geboorte van je kind is je normale dagritme volledig in de war. Daarnaast heb je een chronisch gebrek aan slaap. En de combinatie van deze factoren kan van iemand emotioneel gezien een totaal ander mens maken.

Wat invloed heeft op de relatie

Moeheid

Gebroken nachten. Dat is iets waar elke beginnende ouder aan zal moeten wennen. Hoe vaak of hoe lang jullie baby 's nachts wakker is, is niet te voorspellen. Sommige baby's slapen al na vier tot zes weken door, andere kinderen pas na vier tot zes jaar. De eerste weken na de geboorte zal iedere ouder er rekening mee moeten houden dat er van een nachtrust van acht uur slaap niet veel zal terechtkomen. Om de paar uren heeft een baby honger. Hoe hij dat laat merken? Door te huilen. Het enige communicatiemiddel dat hij voorlopig ter beschikking heeft. Chronisch slaapgebrek is iets wat mensen emotioneel kan uitputten. Je zenuwen zijn uiterst gevoelig, je hebt het gevoel dat je over een zijden draadje loopt en dat er maar iets hoeft te gebeuren of je ontploft. Je kunt onverwacht reageren, onredelijk boos worden en je ergeren aan onbelangrijke zaken.

Wat kun je doen?

Er rekening mee houden dat mensen door moeheid en slaapgebrek kunnen veranderen en onverwacht boos kunnen reageren. Erkennen is stap 1, er met elkaar over praten is stap 2, elkaar helpen is stap 3. Hoe? Door te kijken of je taken van elkaar kunt overnemen. Door elk uurtje overdag te gebruiken om even een hazenslaapje te maken. Door hulptroepen in te schakelen die overdag een uurtje kunnen wandelen met de baby, zodat jij kunt slapen. Als je geen borstvoeding geeft, kun je de nachtvoedingen om en om met je partner doen. En, heel belangrijk: klamp je vast aan de zekerheid dat de gebroken nachten op een gegeven moment overgaan.

Jaloezie

Tot voor kort konden jullie elkaar alle aandacht geven die je maar wilde. Maar nu is er een derde persoontje bijgekomen. En die eist vanaf het ene op het andere moment alle aandacht van jullie beiden op (en in eerste instantie vooral van de moeder). Met name vaders kunnen hier af en toe moeite mee hebben. Tot nu toe gaf hun vrouw hén alle liefde en aandacht. En nu zien ze dat de meeste lieve woordjes naar de baby gaan. Sommige mannen missen de aandacht van hun partner en gaan de baby als indringer zien (en voelen zich daar onmiddellijk weer schuldig over). Je kunt je voorstellen dat dit een bron van wederzijdse irritaties kan zijn.

Wat kun je doen?

Probeer je aandacht te verdelen tussen de twee personen die je allebei liefhebt. Misschien vind je het als vrouw in deze eerste weken moeilijk om je partner lichamelijk aandacht te geven. Omdat je bang bent dat dit misschien tot een vrijpartij leidt – iets waaraan je nog niet toe bent. Zeg hem dan hoeveel je van hem houdt, hoe dankbaar je hem bent dat hij je helpt en bijstaat. En hoe jammer je het soms vindt dat er nu even heel weinig aandacht voor elkaar is. Maar weet ook dat die mogelijkheid over een tijd weer terugkomt.

Een huilende baby

Slapen en bijkomen van de bevalling. Dat is wat een baby de eerste dagen voornamelijk doet. Maar als hij eenmaal gewend is, zal hij zich laten horen zodra hij zich niet lekker voelt. De enige manier waarop hij dat voorlopig kan, is door te huilen. Hoeveel jouw baby huilt, is van tevoren natuurlijk niet te voorspellen. Maar het is nu eenmaal zo dat de ene baby meer, vaker en harder huilt dan een andere baby. Het huilen kan door je ziel snijden of je hoofdpijn bezorgen. Geen enkele moeder blijft er onverschillig onder. Een huilende baby kan veel invloed hebben op de kwaliteit van je relatie. Je kunt bijvoorbeeld verschillend reageren op het gehuil of verschillen in de opvatting of je er wel of niet meteen op in moet gaan. Het gehuil kan je moedeloos maken of frustreren als je het niet kunt stoppen. Het kan tot irritaties leiden als je merkt dat het gehuil alleen stopt bij de ene partner en niet bij de andere. Het gehuil van een baby wordt soms wel vergeleken met kiespijn. Het zeurt door je hoofd, het kan je helemaal gek maken. Maar het leidt ook tot grote rust en opluchting als het eenmaal stopt. En één ding is zeker: het huilen zal langzaam minder worden naarmate een baby ouder wordt. En het zal ooit definitief stoppen. Echt waar. Ook al kun je je dat zo nu en dan nauwelijks voorstellen.

Wat kun je doen?

Als je je realiseert dat huilen voor de baby de enige manier is om hulp te vragen, is het soms makkelijker om ook hulp te geven. Ligt hij niet lekker? Zit er een boertje dwars, heeft hij een poepluier? Check eerst even alle mogelijkheden. En als het huilen daarmee niet is opgelost, kun je nog besluiten je baby in je armen te nemen. Kortom, probeer zoveel mogelijk uit om het huilen te stoppen. Niets is te gek: van dragen in een buidelzak en rondjes lopen in de woonkamer met de kinderwagen tot een eindje rijden met de auto. Als je merkt dat het huilen jou uitput, vraag dan hulp van familie en vrienden. Misschien kunnen zij even met de baby weggaan. Even stilte om je heen kan jou de tijd geven om weer aan te sterken.

Verschil in dagritme

Een week of een paar weken na de bevalling gaat je partner meestal weer werken (zie het kader 'vaders met verlof'). Hij staat 's ochtends vroeg op, vertrekt en komt 's avonds weer thuis. Hij ontmoet andere mensen, houdt zich bezig met volwassen collega's en denkt en praat de hele dag op een volwassen niveau. Jij als moeder bent de hele dag nog thuis – in ieder geval de eerste acht weken na de bevalling. Je brabbelt wat met je kind, houdt je bezig met poepluiers en voeden en gaat een uurtje wandelen. *That's it.* Een wereld van verschil met wat je partner dagelijks doet. Was je voor de geboorte gewend aan hetzelfde werkritme als je partner, dan merk je nu hoe anders jullie leven is geworden. Sommige vrouwen krijgen in deze weken het gevoel dat ze alleen nog maar een melkfabriek zijn en niets intelligents meer hebben bij te dragen aan de maatschappij. Ze kijken uit naar de eerste dag dat ze weer kunnen gaan werken. Andere vrouwen genieten met volle teugen van deze nieuwe rol en kijken juist met grote tegenzin uit naar hun eerste werkdag. Soms besluiten ze zelfs voorlopig te stoppen met werken. Hoe het ook is bij jou, het verschil in dagritme kan een struikelblok vormen in jullie relatie. Helemaal als je als moeder het gevoel hebt dat het fulltime voor je baby zorgen niet helemaal jouw 'ding' is. En als je partner je zo nu en dan fijntjes laat merken dat je toch maar boft om de 'hele dag niets te hoeven doen'.

Wat kun je doen?

Snak je weer naar zo nu en dan wat 'hoofdarbeid' en een intelligent volwassen gesprek in plaats van babyspuug op je kleren en tattata-gesprekjes? Maak dan weer eens afspraken met anderen. Ga samen met een vriendin (en de baby) winkelen, plan een bezoek – kortom ga erop uit. Breng een bezoekje (met baby) aan je werk, informeer hoe het leven daar staat en vraag of je zo nu en dan via de e-mail al wat kunt doen. En tenslotte kun je eens een avondje, terwijl hij oppast, proberen naar een vriendin of een vroege film te gaan. Even tijd doorbrengen zonder je kind maakt dat je je ineens een ander mens voelt.

De eerste weken na de bevalling (en misschien zelfs maanden) heb je als vrouw meestal weinig tot geen behoefte aan vrijen. Dat heeft te maken met je hormonen, borstvoeding geven en de lichamelijke verwerking van de bevalling. Mannen hebben hier minder last van. De meeste mannen begrijpen best dat vrijen voorlopig even niet mogelijk is. Maar dat betekent niet dat ze er geen behoefte aan hebben. Voor veel mannen betekent sex namelijk ook intimiteit en geen sex dus een gebrek aan intimiteit. Dat is wat ze missen en weer terug willen hebben. Terwijl een vluchtige aanraking of een knuffel voor jou misschien al tot reacties van afweer leidt. O nee, hij wil vrijen, denk je dan. En daardoor sluit je je af voor hem. Er is dan dus ook geen ruimte voor intimiteit.

Wat kun je doen?
Ook al wil jij niet echt vrijen, je wilt vast wel warmte en intimiteit voelen met je partner. Dat laatste is precies wat hij ook mist. Maar warmte en intimiteit kun je ook op een andere manier krijgen. Zoek elkaars nabij-heid, raak elkaar aan en knuffel elkaar. En wees vooral duidelijk over wat je wel en niet wilt wat betreft vrijen. Meer tips vind je aan het eind van dit hoofdstuk.

'Ik verliefd, hij jaloers'

Julia: "*Nooit gedacht dat ik zo verliefd kon worden op mijn eigen kind. Soms zat ik urenlang naar hem te kijken als hij lag te slapen. Ik kon hem overladen met kusjes en knuffels en voelde mijn hart vollopen met liefde als hij naar mij keek. In die tijd realiseerde ik me helemaal niet dat mijn man Dries soms met jaloezie mijn geknuffel met ons kind gadesloeg. Later vertelde hij dat hij zich afgewezen voelde en dat ik me afsloot voor hem. Ik wil ook geknuffeld worden, dacht hij telkens als hij me bezig zag. Daar stond ik niet voor open. Jammer eigenlijk dat Dries pas achteraf vertelde hoe hij die tijd had ervaren.*"

'Geschokt'

Chris: "*Toen onze dochter vijf weken oud was, kroop ik bij mijn vrouw Liza in bed die net op dat moment ons kind de borst gaf. Op dat moment voelde ik ineens de behoefte om ook heel dicht bij haar te zijn.*

Ik wilde dat mooie en intieme moment met haar delen. Toen ik naast haar ging liggen, zag ik het verschrikte gezicht van Liza. Ze keek me vol afschuw aan. 'Wat krijgen we nou? Je wilt nu toch niet vrijen?' vroeg ze verontwaardigd. Ik was geschokt. Sex? Dat was het laatste waaraan ik op dat moment dacht. Zo dacht ze dus over me: alsof ik een geile beer was die ongeduldig wachtte op het juiste moment om zijn vrouw te bespringen."

Dieptepunt of verrijking?

Stellen die tijdens de zwangerschap een goede relatie hadden, lopen de grootste kans om hun relatie door de 'crisisperiode' vlak na de bevalling heen te loodsen. Dat laten vele onderzoeken zien. In al deze onderzoeken wordt duidelijk dat zowel mannen als vrouwen zeggen dat hun relatie door de komst van kinderen weliswaar verrijkt is, maar dat de relatie in de eerste zes maanden na de bevalling op een dieptepunt was. Hoe meer er in de eerste maanden na de bevalling 'emotionele aandacht' voor elkaar was, hoe beter de relatie genoemd wordt door beide partners.
Meest voorkomende klachten in de eerste weken na de bevalling (van beide partners):
• We brengen geen tijd meer samen door.
• We kunnen niet meer met elkaar praten.
• Zij luistert niet naar wat ik te vertellen heb over mijn werk.
• Ze wil geen sex meer.

En de sex?

Technisch gezien is het zo klaar als een klontje: na de bevalling mogen jullie niet vrijen zolang jij nog bloedt. Bloeden betekent dat je baarmoeder nog niet is genezen en dat je baarmoedermond nog openstaat. Penetratie van een penis in je vagina kan een infectie veroorzaken. Niet doen dus. Wanneer het bloeden ophoudt, verschilt van vrouw tot vrouw. Bij de meeste vrouwen is het bloeden gestopt na vier tot zes weken. Maar het is punt twee of je dan al zin hebt om te vrijen. Uit onderzoek blijkt dat de meeste vrouwen de eerste drie tot vier maanden nog geen behoefte hebben aan vrijen met hun partner. Voel je dus niet bezwaard of schuldig als dat bij jou ook het geval is.

Geen sex, wel intimiteit

Als we het hebben over vrijen hoeft dat niet alleen vaginale sex te
betekenen. In het onderzoek dat hiervoor werd genoemd, werd alleen
onderzoek gedaan naar geslachtsgemeenschap, vaginale sex dus. Dit
hoofdstuk gaat over de eerste acht weken na de bevalling, en misschien
heb je in deze eerste weken nog geen behoefte aan vaginale sex. Maar
behoefte aan intimiteit hebben jij en je partner ongetwijfeld wél. Intimiteit
kun je krijgen op veel manieren. Door tegen elkaar aan te liggen, elkaar
te strelen, of elkaar te vertellen hoeveel je van elkaar houdt. Maar het is
belangrijk dat het voor jou en je partner duidelijk is dat intimiteit niet altijd
hoeft te leiden tot verplichte sex.

Wees duidelijk

Heb je zin in sex? Je bloedt niet meer? Ga gerust je gang en geniet ervan!
Geen zin in sex, wél behoefte aan intimiteit? Wees daar duidelijk over:
• Zeg dat je nog geen zin hebt in vrijen. Door niets te zeggen geef je ver-
  keerde boodschappen en denkt je partner misschien dat het aan hem ligt.
• Leg hem uit dat je wel behoefte hebt aan zijn warmte, liefde en nabijheid.
• Zeg hem dat je wel tegen hem aan wilt liggen, elkaar wilt omhelzen, zijn
  armen om je heen wilt voelen, in elkaars armen in slaap wilt vallen etc.
• Vertel hem dat je nog steeds (ondanks de irritaties, woorden, je humeu-
  rige buien) ontzettend veel van hem houdt.

In het ritme

Wennen aan het nieuwe gezinsleven

Werken, zorgen voor je kind, het huishouden... Veel jonge ouders vinden het leven best druk. En gek eigenlijk: zelfs anno 2006 zijn het nog vaak de moeders die voor de meeste klussen opdraaien. Daarover ruziemaken heeft weinig zin. Wat wél helpt: maak tijd voor elkaar en blijf samen in gesprek.

Zo'n acht weken na de bevalling komt er meestal weer wat regelmaat in jullie leven. Daarvóór werden je tijd en je dagelijkse leven geheel en al bepaald door je baby. Slapen, huilen, troosten, voeden, verschonen, boodschappen doen, een stukje wandelen – allemaal bezigheden die moeilijk zijn in te plannen met een pasgeboren baby. Voor de meeste vrouwen begint hiermee al de grootste verandering in hun leven. Vergeleken met je vroegere leven waarin je elke bezigheid kon plannen, heb je in de eerste maanden na de bevalling moeten wennen aan chaos en improvisatie. Na twee à drie maanden begint er langzaam weer een ritme te komen. En dat brengt een stuk meer rust voor jou én voor je relatie.

'Eindelijk...'

Lisa: "Na acht weken begon Stijntje beter door te slapen. In plaats van drie keer per nacht werd hij nu nog maar een keer wakker, rond zes uur. Wel vroeg maar er kwam tenminste regelmaat in onze nachten. Zo wist ik dat hij bijna altijd om een uur of acht weer ging slapen en 's middags ook nog een uurtje. Eindelijk kon ik een beetje mijn eigen rustige momenten gaan plannen. En na drie maanden was ik er echt aan toe om weer te gaan werken."

'Rust en regelmaat'

Teun: *"Die eerste drie maanden waren eigenlijk zo onrustig. Soms werd Klaartje vijf keer per nacht wakker, soms niet een keer. Soms waren we helemaal gebroken na een paar dagen, kon ik me overdag nauwelijks staande houden door het slaapgebrek. Vanaf de derde maand ging ze vier dagen per week naar de kinderopvang en eigenlijk is het vanaf dat moment beter gegaan. Ze leerden haar daar rust en regelmaat. Iets wat wij blijkbaar niet goed konden."*

Wel of niet werken

To work or not to work is the question, zou Shakespeare in deze tijd hebben gezegd. De beslissing hierover heb je natuurlijk al tijdens je zwangerschap genomen. Toch kun je daar in de maanden na de geboorte van je kind ineens heel anders over denken. Voel je niet schuldig of abnormaal als je na de geboorte van je kind het gevoel hebt dat je eigenlijk (nog) helemaal niet wilt werken. Als je dat gevoel hebt, is het nodig daar met je partner over te praten. Jullie zullen moeten bekijken of het financieel haalbaar is als een van de twee inkomens gaat vervallen. Maar stoppen met werken heeft niet alleen financiële gevolgen. Het verschil in leven tussen jou en je partner zal behoorlijk gaan verschillen. En dat heeft ook invloed op je relatie. Voor vragen en info over je besluit kun je op internet terecht bij bijvoorbeeld *www.oudersonline.nl*. Twijfel je nog? Informeer bij je werkgever of via het ministerie van Sociale Zaken en Werkgelegenheid of het opnemen van ouderschapsverlof iets voor jou is. Als jouw werk het toelaat, is een andere mogelijkheid om meer vanuit je huis (bijvoorbeeld achter je computer) te werken. E-werken heet dat. Kijk bijvoorbeeld op *www.telewerkforum.nl*. Ga je na je bevallingsverlof weer buitenshuis aan het werk, dan moet je een besluit nemen over de zorg voor jullie kind op de dagen dat jullie werken.

Wie zorgt er voor de baby?

Gek eigenlijk: uit een in 2005 door *Ouders van Nu* gehouden enquête onder 222 jonge vaders blijkt dat 99% van de ondervraagde vaders het belangrijk vindt om veel tijd met hun kind door te brengen. Om dat te realiseren zou zelfs 68% minder gaan werken. Helaas blijkt in de praktijk dat maar 22% dat ook daadwerkelijk doet! Het betekent dat meer vrouwen dan mannen verantwoordelijk blijven voor de zorg van het kind. Een deel van die zorg wordt uitbesteed aan de professionele kinderopvang, een deel

wordt door familie gedaan (oma's, zussen etc.) en er zijn ook vrouwen
die kiezen voor opvang in een gastgezin. In de praktijk blijkt dat de vrouw
meestal de keuze maakt voor een vorm van kinderopvang. Als zij wil blijven
werken of meer uren wil werken, is zij ook verantwoordelijk voor de keuze
van de kinderopvang, lijkt de gedachte hierachter te zijn. Terwijl werkende
vaders niet meteen zullen denken: en wie zorgt er dan voor ons kind? Deze
eenzijdig gevoelde verantwoordelijkheid is voor veel moeders een bron van
irritatie.

Anderhalfverdienersmodel

In Nederland gaan steeds meer vrouwen werken. In 2004
werkte 65,8% van alle vrouwen (met of zonder kinderen).
Daarmee loopt Nederland niet voorop. In Scandinavische
landen bijvoorbeeld werkt ruim 73% van alle vrouwen. Nederland heeft van alle Europese landen wel het hoogste percentage in deeltijd werkende vrouwen. Van alle werkzame
vrouwen werkt 74,8% in deeltijd (Bron: NRC Handelsblad/Eurostat
2004). Tweederde van de vrouwen in Nederland gaat minder
uren werken zodra het eerste kind is geboren of stopt
helemaal met werken. Hoe meer kinderen er komen, hoe
minder uren vrouwen gaan werken. Terwijl dit bij mannen
niet het geval is. Minder dan 10% van de werkende vrouwen
met kinderen heeft een fulltime baan. Van de mannen die
werken heeft 90% een fulltime baan – of ze nu wel of geen
kinderen hebben. In slechts 2% van de gezinnen met kinderen werken *beide* partners in deeltijd. Wat in Nederland
na de geboorte van het eerste kind veel meer de norm is is
het anderhalfverdienersmodel: de man werkt fulltime en de
vrouw in deeltijd.

Bron: Helen Mees in NRC Handelsblad 21-01-2006.

'Studeren en babysitten'

Karel: *"Anne had een goede baan als pr-functionaris toen ze zwanger werd en ik studeerde nog. Toen onze zoon was geboren, waren we het er al snel over eens: ik zou voor Beer zorgen en Anna ging na twee maanden weer aan de slag. Studeren en voor een kind zorgen bleek geen ideale combinatie. Dus nam Anne een dag in de week ouderschapsverlof op zodat ik die dag volledig aan mijn studie kon wijden. De resterende vier dagen studeerde ik vooral 's avonds als Anne thuis was. Ik heb mijn studie op een lager pitje gezet en een extra jaar ervoor uitgetrokken. Beer te zien opgroeien in die eerste twee jaar was een groot geschenk. Hoewel dat ik het soms ook erg zwaar vond."*

Eerlijk(?) zullen we alles verdelen

Wat de grootste bron van irritatie is voor vrouwen na de geboorte van een kind? De verdeling (en uitvoering) van de huishoudelijke klussen en gezinstaken tussen moeder en vader. Volgens de *Vaders van Nu*-enquête in 2005 vindt 97% van de vaders dat de zorgtaken eerlijk moeten worden verdeeld. Maar in de praktijk blijkt deze taak nog steeds massaal op de schouders van vrouwen terecht te komen. Huishoudelijke taken als boodschappen doen, eten koken en huishoudelijk werk kosten vrouwen gemiddeld tweeënhalf uur per dag. Mannen besteden daar gemiddeld een half uur per dag aan (volgens onderzoek van het CBS). Bovendien blijkt volgens onderzoek van het SCP ook nog eens dat mannen vaak denken dat de taken wel gelijk zijn verdeeld thuis! Terwijl over het geheel genomen vrouwen in totaal twaalf tot vijftien uur per week meer werken dan mannen. Het gaat dan om betaald werk plus onbetaald huishoudelijk werk. Laagopgeleide mannen blijken overigens meer taken in huis te verrichten dan hoogopgeleide mannen.

Afspraken maken

Om irritaties en ruzies over de taakverdeling te voorkomen, is het dus heel belangrijk om samen tot een goede taakverdeling te komen. Het klinkt misschien kinderachtig en schools, maar een weeklijst met taken waar-achter de naam staat van degene die de taak moet uitvoeren, helpt echt. Met zo'n lijst kun je elkaar houden aan en wijzen op de afspraken die nu gewoon zwart op wit staan. Fulltime werkende mannen met verantwoor-delijke banen verschuilen zich nogal eens achter het argument dat hun werk een dergelijke strakke afsprakenplanning niet toelaat ('In mijn positie kan ik niet zomaar om zes uur stoppen met werken.'). Maar dat is het ont-lopen van verantwoordelijkheden. Schotel hem in zo'n geval maar eens het voorbeeld voor van minister Zalm: die ging elke dag om vijf uur naar huis om samen met zijn gezin met jonge kinderen te kunnen eten. Om vijf uur stopte hij de vergadering of stapte zelf op. Dus vaders, als minister Zalm zoiets kan, kunnen jullie dat ook!

Afspraken maken en op een lijst zetten voorkomt ook dat moeders met een dubbele dagtaak overblijven. Na het werk ook nog eens een volledige zorgtaak moeten verrichten, kan lichamelijk en geestelijk te veel worden. Dus goede kinderopvang is niet genoeg. Er zijn afspraken nodig: over wie de kinderen ophaalt, wie de boodschappen doet, wie het eten kookt en wie de schoonmaaktaken in huis doet. Een voorbeeldlijstje is te vinden op *www.wiedoetwat.nl.*

Hoe krijg je 'm zover?

Tips van moeders om vaders meer te laten 'zorgen en poetsen':

Nancy: "Mannen zijn gevoelig voor complimenten. Zeg hem dat hij een bepaalde klus veel beter en sneller kan dan jij. Wedden dat hij dat dan keer op keer wil bewijzen?"

Marinke: "Wissel elke week de taken af. Zo leer je allebei alle taken in de loop der tijd."

Marjan: "Verdeel de taken zodanig dat er geen discussie over mogelijk is: hij doet alle klussen aan de buitenkant van het huis, jij aan de binnen-kant."

Wieke: "Mannen zijn dol op technische snufjes. Koop voor zijn klusjes de nieuwste apparaten. Hij staat te popelen om ze te gebruiken."

Karien: "Leg je man uit dat hij tijdens het tv-kijken ook kan strijken. Of neem een radio in de keuken. Of zet hem een discman op tijdens het stofzuigen. Zo kun je vervelende klusjes leuker maken."

Valkuil: hij doet het nooit goed

Zo netjes als jij strijkt, kan hij het niet. Zo lekker en gevarieerd als jij kookt, kan hij het niet. Zo efficiënt als jij de was opvouwt, kan hij het niet. Herken je dat? Veel vrouwen vinden dat hun partner meer zou moeten doen in het huishouden. Maar tegelijkertijd vinden ze het ook moeilijk om taken uit handen te geven. Het heeft te maken met het delen van je machtspositie. Het huishouden is iets waarvan vrouwen diep in hun hart vinden dat ze het gewoon beter kunnen dan mannen. Als blijkt dat mannen het ook kunnen maar op hun eigen manier doen, voelt dat voor sommige vrouwen als een nederlaag. Alsof ze een stukje van hun territorium moeten weggeven. Het 'ik kan het nooit goed doen'-syndroom is iets waar veel mannen onder lijden en last van hebben. Van hun kant is dat juist een bron van irritaties en ruzies.

De oplossing

Loslaten. Het belangrijkste wat een vrouw kan doen om te voorkomen dat een man ruzie gaat maken omdat hij het gevoel heeft nooit iets goed te kunnen doen, is leren de controle los te laten. Probeer te accepteren dat iedereen zijn eigen manier heeft om een taak te doen of een klus te klaren. Als hij weet hoe de wasmachine werkt en waar het droge wasgoed moet worden opgeborgen, is de weg ernaartoe zijn eigen keuze. Als hij moeder was geweest of een vriendin, zou je dan ook zo geïrriteerd zijn als de babyhemdjes andersom zijn opgevouwen? Bedenk dat het eindresultaat telt en dat het niet gaat om het exact kopiëren van jouw methodes.

Oefening

Samen praten komt er steeds minder van. Samen ruziemaken misschien steeds meer. En als je probeert geen ruzie te maken, krop je alle irritaties op die er in een grote boze bui een keer uitkomen. Daarom een manier om weer een gesprek tussen jullie beiden op gang te brengen en om opgekropte irritaties op een constructieve manier te bespreken. Ga elke week minimaal een half uur bij elkaar zitten. Ieder krijgt een kwartier 'spreektijd'. In dat kwartier krijgt een van beiden de gelegenheid om (zonder dat de ander mag onderbreken) alles op te noemen wat in jullie relatie de afgelopen week niet goed liep. Daarna eindig je met de dingen die de afgelopen week in je relatie wél goed liepen. Zorg dat je dus voor die positieve opmerkingen nog tijd overhoudt! De ander mag niet onderbreken en ook na dat kwartier geen op- en aanmerkingen maken op wat hij heeft gehoord. Het volgende kwartier is de ander aan de beurt om precies hetzelfde te doen.

Tip

Eindig altijd met iets positiefs! Zelfs als je weinig tot niets positiefs kunt verzinnen. Denk daar van tevoren over na. Anders heeft de oefening weinig zin. Juist door het afronden van je 'spreektijd' met iets positiefs kun je je irritaties afsluiten.

Gemengde gevoelens

Ben je een jonge vader, dan kun je last hebben van gemengde gevoelens als je een kind hebt gekregen. Aan de ene kant wil je delen in het gelukkige gevoel van de komst van je kind. Aan de andere kant merk je ook dat je je nummer 1-plek moet delen. Daarnaast komt bij veel vaders het eerste kind ook in een periode in hun leven dat ze midden op de carrièreladder staan. Het gevolg is getrek van twee kanten. Aan de ene kant de trek van je werk om te presteren en aanwezig te zijn, aan de andere kant de trek van je vrouw om deel te nemen aan het gezinsleven. Je avonden en weekenden zijn niet of minder gericht op uitgaan en vrienden ontmoeten. En met de sex weet je dat je veel geduld moet hebben. Daartegenover staat dat het vaderschap ook voor veel mannen veel positieve veranderingen met zich meebrengt. Uit de in 2005 gehouden *Vaders van Nu*-enquête blijkt dat de meeste mannen vinden dat ze na de komst van hun kind zijn veranderd. 83% heeft meer verantwoordelijkheidsgevoel gekregen en is bewuster gaan leven. Ook is 87% zorgelijker geworden en 74% voorzichtiger. Iets meer dan de helft (57%) is rustiger geworden. De meerderheid (81%) gaat minder uit en de helft van de mannen ziet zijn vrienden minder dan vroeger.

'Babygeur'

Bram: "Ik ben de eerste in mijn vriendenkring die vader is geworden. Mijn vrienden leefden allemaal erg mee toen mijn kind was geboren. Maar natuurlijk gingen ze gewoon door met hun oude leventje van

*uitgaan, drinken en tot diep in de nacht doorgaan. Vroeger deed ik daar
ook aan mee en ik kon me niet voorstellen dat ik ermee zou kunnen
stoppen. Maar sinds ik een kind heb, heb ik er gewoon geen zin meer
in. Nog één keer ben ik mee geweest. Maar al aan het begin van de
avond begon ik Marga en mijn dochter te missen. Ik wilde gewoon liever
thuis zijn, mijn dochter in het badje doen, haar lachje zien, de babygeur
ruiken. Nooit gedacht dat ik daarnaar zou kunnen verlangen op een
zaterdagavond."*

'Al voorbereid'

Ceryl: *"Mijn vrienden ben ik gewoon blijven zien. We zitten allemaal op
een voetbalclub en elke zaterdagochtend spelen we een wedstrijd. In het
begin was het heel moeilijk om te voetballen als je de hele nacht geen
oog had dichtgedaan door het gehuil van de baby. Maar later ging dat
beter en voelde ik me 's ochtends ook beter. Een aantal van mijn vrienden heeft ook een kind en wat dat betreft was ik al wat voorbereid."*

Wat vaders vinden

Een kleine meerderheid (58%) van de vaders uit de *Vaders
van Nu*-enquête vindt dat na de komst van hun kind hun
sexleven minder is geworden. Maar ook vindt 68% dat na de
komst van hun kind de relatie beter is geworden.

'Daarom hou ik van hem'

Dit zeggen vrouwen over hun partner als vader: 'Ik hou van hem omdat...'

... ik hem voor het eerst sinds we een relatie hebben heb horen zingen.
   Voor zijn dochter.

... hij 's ochtends als eerste uit bed stapt als onze baby begint te huilen.

... zo'n stoere man ook zo lief en teder kan zijn tegen ons pasgeboren kind.

... hij vaak als enige onze dochter in slaap kan wiegen.

... hij zonder enige schaamte met de baby in de draagzak op zijn borst
   boodschappen durft te doen.

... hij aan onze baby van vier weken zijn eigen fotoalbum liet zien.

... hij aan de baby op zijn buik vertelt wat hij vandaag heeft meegemaakt.

... hij liever thuisblijft bij mij en zijn dochter dan naar de thuiswedstrijd van zijn voetbalclub gaat.

... hij gisteren thuiskwam met een nieuwe knuffel voor zijn zoon.

... hij onze dochter zo liefdevol kan aankijken.

Over kwantiteit en kwaliteit

Na drie tot vier maanden komt bij veel vrouwen langzaam de zin in vrijen weer terug. Dat geldt niet voor elke vrouw. Er zijn ook vrouwen bij wie het wel twee jaar kan duren voor de zin in sex weer terugkeert. Als er weer wordt gevreeën, hoeft dat niet te betekenen dat het weer als vanouds is. Veel stellen geven aan dat de sex is veranderd na de bevalling. In ieder geval wat frequentie betreft. De hoeveelheid wordt minder in gezinnen met een of meerdere kinderen onder de vijf jaar en neemt weer toe in gezinnen met kinderen ouder dan vijf jaar. Maar omdat de kwantiteit minder wordt, hoeft de kwaliteit niet automatisch ook te verminderen. Stellen met een bevredigend sexleven in het eerste jaar na de bevalling zeggen weliswaar minder te vrijen dan vroeger, maar zeggen ook dat ze er nog evenveel van kunnen genieten als vroeger.

Minder (goede) sex

Maar ondanks dat veel stellen nog net zoveel als vroeger genieten van vrijen, zijn er in het eerste jaar na de bevalling verschillende factoren aan te wijzen die een negatieve invloed kunnen hebben op de kwantiteit en kwaliteit van de sex.

Moe, moe, moe

Als je al maandenlang enkele malen per nacht uit je slaap wordt gehaald, kun je aan het eind van de dag zo uitgeput zijn dat je het liefst elke vrije minuut wilt besteden aan slapen, slapen en nog eens slapen. Elke minuut die je aan sex zou kunnen besteden, kun je niet slapen en dat vind je in deze periode zonde. Bovendien is moeheid een libidokiller en is het moeilijk opgewonden te worden als je je ogen nauwelijks kunt openhouden. Zolang je je totaal uitgeput voelt, heeft het weinig zin moeite te doen om van de sex nog iets te maken. Het is beter om er eerst voor te zorgen dat jullie allebei bijslapen.

Pijn

Als je bent ingeknipt bij de bevalling of uitgescheurd, kun je lang last houden van die plek waar het scheurtje of de knip heeft gezeten. Niet alle vrouwen hebben last van een pijnlijke vagina na de bevalling. Maar als het wel zo is, kan het je lust in vrijen volledig vergallen. Pijn voelen bij het vrijen en de angst voor de pijn die gaat komen, zorgen ervoor dat je geen zin meer hebt in vrijen. Angst voor pijn zorgt ervoor dat je vagina niet vochtig genoeg wordt. En daardoor wordt de pijn, als je toch gaat vrijen, alleen maar erger. Een eensluidend advies van sexuologen aan vrouwen met pijn bij het vrijen is altijd: stoppen met sex die pijn doet, doorgaan met sex die geen pijn doet. Het betekent dat je voorlopig even geen geslachtsgemeenschap mag hebben. Maar vrijen op andere leuke en bevredigende manieren mag natuurlijk wel!

Vagina? Geboortekanaal!

Sommige mannen die bij de bevalling aanwezig zijn geweest en hebben gezien hoe jouw vagina op dat moment gebruikt werd als een doorgang voor jullie kind, kunnen dit beeld nog lang met zich meedragen. Het kost ze moeite om jouw vagina weer opnieuw te zien als een opwindende opening waaraan ze vroeger zoveel plezier beleefden. Daardoor kunnen ook mannen de eerste maanden minder zin hebben in sex. Ook dan helpt het om te zoeken naar andere manieren waarop jullie wel kunnen vrijen. Elkaar met de hand of met de mond bevredigen bijvoorbeeld. Dat kan net zo opwindend en bevredigend zijn als de vaginale sex waar jullie misschien voorlopig even niet aan toe komen.

Borsten als melkfabriek

Als je borstvoeding geeft, kun je gedurende die periode ook minder zin hebben in vrijen. Daar is eigenlijk geen duidelijke verklaring voor te geven. Maar het zou te maken kunnen hebben met het idee dat je borsten gedurende de voedingsmaanden bedoeld zijn voor je baby. En niet voor sex dus. Ook kunnen borsten tijdens het vrijen melk lekken. De melk schiet namelijk vaak toe als je opgewonden raakt. En dat is voor sommige vrouwen gênant of verwarrend ('mijn melk is voor mijn kind'). Soms helpt het als je met je partner afspreekt om jouw borsten tijdens het vrijen te ontzien en minder aan te raken.

'Als een blok in slaap'

Barbara: "Sex? Ik moest er niet aan denken in de eerste vier of vijf maanden. Ik was veel te moe en uitgeput. Ik viel 's avonds als een blok in slaap tot we na een paar uur alweer gewekt werden door het eerste huiltje van Patrick. Ik was zo moe dat ik niet eens meer behoefte aan Erik zelf had. Pas toen ik na vijf maanden een paar weken met ziekteverlof besloot thuis te blijven, kwam ik toe aan wat rust en begon ik langzaam weer behoefte te krijgen aan een aai, een streling, een liefdevolle 'hug'. Na een half jaar hebben we pas voor het eerst weer echt gevreeën."

'Gemis'

Stefan: "Ik had er moeite mee dat Isa helemaal geen toenadering wilde. Ik mocht niet in haar buurt komen of ze werd al heel geïrriteerd. Ik miste mijn Isa van vroeger, die levenslustig was, wild en altijd in voor onverwachte sex. Wanneer zou ik haar weer terugzien?"

Maak tijd voor elkaar

In het eerste jaar na de geboorte van jullie kind is het belangrijk zo nu en dan tijd vrij te maken voor elkaar. Dat betekent agenda's trekken, oppas regelen en afspraken maken. Samen uit eten gaan is heel wat anders dan samen babyhapjes voeren aan je kind. Samen een glas wijn drinken is anders dan de fles geven aan je baby. Met elkaar praten over hoe het samen gaat, wat je voor elkaar voelt, wat je mist en waarmee je tevreden bent, is heel wat anders dan bababab-toetietoetie zeggen tegen jullie kind. Maak er een vaste dag of avond van. Zorg dat jullie regelmatig tijd met elkaar zónder kind doorbrengen. Dat is noodzakelijk om jullie relatie goed te houden.

Een toekomst samen

Meer dan alleen vader en moeder

Ooit waren jullie vooral maatjes en minnaars. Maar misschien ben je dat even vergeten nu jullie ook vader en moeder zijn. Voor je het weet, draait alles om je kind en komen jullie niet meer toe aan goede gesprekken, gezellig samen uitgaan en lekker lang vrijen. Hoe vinden jullie de oude rollen weer terug?

'Teleurgesteld'

Bettina: *"Toen Eva een jaar oud was, ging ik weer wekelijks met vrien-dinnen een avondje uit. Voor mijn zwangerschap deed ik dat ook altijd en nu had ik er weer behoefte aan. Mark bleef dan thuis om op Eva te passen. Maar ik merkte dat hij er niet blij mee was. Als ik 's avonds thuiskwam, zat hij nukkig op de bank tv te kijken. Ik dacht dat hij het me niet gunde om weer met m'n vriendinnen uit te gaan. Op een avond kwam het hoge woord eruit. Hij was teleurgesteld dat ik met mijn vriendinnen uitging en niet met hem. Sinds de geboorte van Eva hadden we dat nog geen enkele keer gedaan. Ik was geschokt en tegelijk ontroerd. Hij wilde met me uit! Ik dacht dat hij geen belangstelling meer voor me had. Bovendien zagen we elkaar toch elke dag? Ik was vergeten dat we nog meer waren dan de vader en moeder van Eva."*

'Heen en weer geslingerd'

Daan: *"Ik had het op mijn werk heel erg druk in de periode rond en na de geboorte van Zoe. Ik was vaak laat thuis en moest ook wel eens in de weekenden weg voor het werk. Natuurlijk voelde ik me daar schuldig over. Maar ik dacht dat Renske dat wel begreep. Ik werd heen en weer geslingerd tussen de aandacht voor mijn gezin en de aandacht die mijn collega's van me wilden. Maar Renske begreep het niet. Ze bleef me maar verwijten naar mijn hoofd slingeren. Op een gegeven moment zei*

ze: 'Vroeger waren we maatjes, we deden veel samen en we hadden
samen zoveel lol. Dat mis ik zo. Ik wil weer een beetje van vroeger
voelen tussen ons.' Dat heeft me veel gedaan. Ze had helemaal gelijk."

Wat mis je het meest?

Ouders van Nu-lezeressen gaven op de vraag wat ze na
de geboorte van hun kind het meeste missen de volgende
antwoorden:

70% mist het 'spontaan dingen doen'

65% mist het uitslapen

33% mist het uitgaan

31% mist het kleren kopen

en slechts 18% mist het vrijen...

Anders dan vroeger

Waarom is je relatie anders dan deze vroeger was? Omdat jullie kind vanaf
dat hij is geboren de manier bepaalt waarop jullie met elkaar omgaan. Van
's ochtends vroeg tot 's avonds laat draait jullie leven en ook jullie relatie
om jullie kind. En dat zal de komende achttien jaar zo blijven. Natuurlijk
wordt jullie relatie anders naarmate je kind (of kinderen) opgroeien, ouder
worden en zelfstandiger worden. Jullie relatie groeit daarin mee. Maar leg
je erbij neer dat voor de komende jaren jullie kind midden in het centrum
van jullie aandacht, jullie leven en jullie relatie staat. Voor de meeste jonge
ouders betekent de komst van een kind juist een verrijking van de relatie.
Ondanks het feit dat je niet meer alles samen kunt doen wat je vroeger,
zonder kinderen, wel deed. Belangrijk is niet te kijken naar alle dingen die
je kwijt bent en verloren hebt, maar naar alles wat erbij is gekomen en wat
je kunt verbeteren aan de situatie die je nu hebt.

Oefening

Kijk samen eens naar het volgende schema 'Zo was het vroeger - Zo is het
nu'. En vul alle onderwerpen in.

Zo was het vroeger

Zo is het nu

met elkaar praten

....

....

....

....

....

samen dingen doen

....

....

....

....

....

uitgaan

....

....

....

....

....

liefde

....

....

....

....

....

sex

....

....

....

....

....

met elkaar praten

....

....

....

....

....

....

....

....

....

....

....

....

....

....

....

....

....

....

....

....

....

....

....

....

....

Terugkijken of vooruitkijken?

Als een van beiden het gevoel heeft dat hij/zij met de komst van een kind zoveel heeft moeten achterlaten, zal de tweede kolom waarschijnlijk een stuk negatiever uitvallen. Maar dan ben je bezig met 'terugkijken' en niet met 'vooruitkijken'. Laten we hieronder eens kijken hoe we kunnen zorgen dat de tweede kolom weer wat positiever wordt.

Met elkaar praten

Vroeger bespraken jullie alles met elkaar. Het laatste nieuws op het werk, de koppen in de kranten, de nieuwste cd's en films, welk gevoel je had bij een zonsondergang of een schilderij. Als jullie gesprekken vroeger veel tijd in beslag namen, uitgebreid en gevarieerd waren, zou het wel eens behoorlijk kunnen tegenvallen hoe de gesprekken nu zijn. De meeste jonge ouders praten sinds de geboorte van hun kind voor negentig procent alleen over en via hun kind. Zijn jullie zonder kind, dan gaan de meeste gesprekken over jullie kind. Is jullie kind bij jullie, dan praten jullie samen via je kind. Dit is op zich volkomen logisch en begrijpelijk. Je gaat niet met je partner over de laatste politieke ontwikkelingen zitten praten waar je baby bij zit, want hij vraagt voortdurend, soms onafgebroken, jullie aandacht. Omdat jullie kind in het centrum van jullie relatie en dus jullie aandacht staat, is het ook begrijpelijk dat je kind voorlopig ook het belangrijkste onderwerp van gesprek is. Als jullie hier beiden gelukkig en tevreden mee zijn, is er niets aan de hand. Maar soms wil een van beiden (of allebei) het anders.

De oplossing

Natuurlijk zijn er nog andere gesprekken mogelijk tussen jullie beiden. Maar daar moeten jullie allebei energie in steken. Bedenk eerst eens rustig waarover je met je partner zou willen praten. Wil je meer aandacht voor elkaars werk overdag? Meer over elkaars diepere gevoelens praten? Over politieke of maatschappelijke onderwerpen? Als dat voor jou een beetje duidelijk is, zul jij de eerste stap moeten zetten. Vertel je partner dat je vindt dat jullie de laatste tijd zo weinig tijd nemen om samen te praten en dat je dat graag wilt proberen te veranderen. Je kunt bijvoorbeeld elke dag een half uurtje de tijd nemen om bij elkaar te zitten (als je kind naar bed is of vlak voor een van beiden naar bed wil). Gebruik dat half uurtje door eerst eens rustig te informeren bij elkaar hoe het vandaag ging. Wat ging goed, wat minder etc. Je zou ook met elkaar kunnen afspreken om elke dag een nieuw onderwerp aan te snijden. Het is aan jullie.

'Vleug van vroeger'

Anne-Marie: "Lucas klaagde er wel eens over dat we nooit meer uren met elkaar konden praten, zoals vroeger. In die tijd gingen we soms de hele nacht door. Nu was ik daar fysiek nog helemaal niet toe in staat. Ik was gewoon te moe om urenlang door te bomen. Maar hij had gelijk dat we eigenlijk nog maar nauwelijks echt met elkaar spraken. Als we eens een kwartiertje samen hadden (bijvoorbeeld als we naar mijn moeder reden in de auto waarin Basje altijd meteen in slaap viel) kwam er weer even een vleug van vroeger terug. We discussieerden dan weer opgewonden met elkaar over van alles en nog wat. Tot we bij het huis van mijn moeder kwamen en ons gesprek weer abrupt werd afgebroken. Maar thuis deden we zoiets nooit meer. Te moe, te weinig tijd of continu aandacht voor Bas."

Samen dingen doen

Misschien verlangen jullie terug naar de tijd dat je dingen samen deed. Samen naar de film, samen naar een museum of gewoon lekker samen winkelen. Nu jullie kind er is, merk je dat zelfs 'even samen winkelen' er al niet meer inzit. Het kan niet omdat je baby net toe is aan zijn middagdutje of omdat hij niet van drukke winkels houdt. Samen een keer naar de film kost elke keer weer zoveel geregel dat je bij voorbaat al te moe bent. Laat maar zitten... En voordat je het weet, glijdt jullie relatie ongemerkt in een gewoonte dat jullie niets meer samen doen. Maar: samen dingen doen is goed voor het 'onderhoud' van jullie relatie. En er is meer mogelijk dan je denkt.

De oplossing

Een keer samen winkelen overdag is simpel te regelen. Vraag gewoon of er 's middags iemand komt oppassen. Denk je dat samen winkelen niets bijdraagt aan jullie relatie? Dan vergis je je. Het samen dingen doen waarbij je je gezamenlijk richt op iets, al is het nog zo onbelangrijk, waarbij je moet overleggen over een aankoop, samen een keuze moet maken, samen mensen ontmoet die jullie benaderen als een stel – en niet als een vader en een moeder – is juist bijzonder belangrijk voor de relatie. Onderschat het niet en probeer het eens uit. Samen uitgaan of naar de film is natuurlijk ook een kwestie van regelen. Of ben je 's avonds zo moe dat je liever in bed ligt dan dat je uitgaat? Dan kun je er beter voor kiezen om samen een activiteit overdag te doen.

'Heerlijke dag'

Odette: "We waren al een jaar lang niet samen uitgeweest of weg geweest. Ik had nog helemaal geen zin in uit eten gaan of naar de film. Daar was ik gewoon te moe voor. Toen Olaf zei dat hij hoognodig nieuwe kleren nodig had voor de komende winter, stelde ik voor om met zijn tweetjes te gaan winkelen. Vroeger kochten we altijd samen kleren. Ik vroeg mijn moeder of ze die zaterdag wilde oppassen op Beau. We gingen 's ochtends weg naar Amsterdam, hebben samen gewinkeld en geluncht. Toen ik mijn moeder belde hoe het ging, zei ze dat Beau zich prima vermaakte. We konden dus best nog ergens gaan eten. We hebben ergens gegeten en kwamen 's avonds doodmoe thuis. Maar sinds een jaar hadden we weer een heerlijke dag samen."

Uitgaan

Misschien gingen jullie vroeger veel samen uit of ook wel ieder apart. Na de geboorte van een kind zijn het vooral mannen die het uitgaan kunnen missen. Vrouwen zijn soms langer en vaker moe en hebben daardoor minder behoefte aan uitgaan. Als je eenmaal een kind hebt, hoef je niet te denken dat het uitgaan helemaal afgelopen is. Natuurlijk kan het nog. Je moet het alleen wat beter organiseren en plannen.

De oplossing

Wil je samen weer eens als vanouds uitgaan tot diep in de nacht? Dat valt te regelen als je er maar rekening mee houdt dat je meer tijd kwijt bent dan alleen de uitgaanstijd. Zeker als je flink bent doorgezakt, heb je de dag daarna nodig om bij te komen. Dus als je een oppas regelt, spreek dan af dat je kind daar bijvoorbeeld ook de dag erna kan blijven. Heeft je partner meer behoefte dan jij aan zo nu en dan eens flink de bloemetjes buiten zetten, dan kun je daar afspraken over maken. Bijvoorbeeld dat hij een weekend uitgaat en dat jij een ander weekend bij een vriendin blijft logeren.

'Uit mijn dak'

Steef: "Met een groepje vrienden ging ik zo'n drie keer per jaar totaal uit mijn dak. Meestal in de zomer als we op het strand waren geweest. Maaike vond het niet leuk dat ik doorging met die weekenden, maar het was mijn enige verzetje, zei ik haar. Als tegenprestatie nam ik na een dergelijk weekend altijd een grote bos bloemen mee. En later besloot ik om haar het weekend erna mee uit eten te nemen. Nog steeds vindt ze het niks, maar ze heeft mijn weekenden inmiddels wel stilzwijgend geaccepteerd."

Liefde

Misschien denk je nog wel eens met weemoed terug aan toen jullie elkaar net kenden. Toen jullie nog straalverliefd waren. Die verliefdheid was opwindend, een bron van energie en een onophoudelijk genot. Die verliefdheid komt niet terug. Dat is iets wat zeker is. Bij de meeste mensen is dit type verliefdheid na een jaar verdwenen. Uit die liefde is misschien jullie kind ontstaan en nu kun je alleen nog maar met weemoed terugdenken aan dat verliefde stel dat jullie ooit waren. Maar iedereen weet dat heftige gevoelens van verliefdheid op een gegeven moment plaatsmaken voor het rustige en vertrouwde gevoel van liefde. Misschien is jullie kind wel uit dit gevoel ontstaan. In de periode na de komst van je kind is er vaak wat minder tijd en gelegenheid om stil te staan bij de liefde die je voor elkaar voelt. Door slaapgebrek, alle aandacht die naar je kind gaat en je drukke vermoeiende leven kan dat gevoel van liefde voor elkaar wel heel ver weg zijn. Waar is de liefde gebleven?

De oplossing

Probeer weer tijd te maken voor elkaar. Liefde groeit en bloeit niet in een omgeving waarin beide partners het druk hebben, irritaties over en weer vliegen, je kind aandacht vraagt en je nooit eens samen tot rust kunt komen. Uit diverse onderzoeken is bekend dat mensen door te weinig slaap en te veel stress overgevoelig worden. In zo'n periode kan elk woord, elk gebaar van je partner verkeerd bij je overkomen. Dat wakkert je irritatie, boosheid en afkeer van je partner alleen maar aan. Herken je zulke stressgevoelens bij jezelf, dan is het hoog tijd dat je eerst tot rust komt. Laat elkaar een keer uitslapen (desnoods door zo nu en dan eens ieder apart te slapen), plan een dagje voor jezelf, neem een ontspannende sauna of massage. Pas als je zelf wat meer rust hebt gekregen, is het tijd om bewust aandacht aan elkaar te schenken. Tijd voor een portie intimiteit. Wat je zou kunnen doen? Denk eens aan wat jullie vroeger graag samen deden. Op de bank een video kijken? Met vrienden een avondje uit? Samen naar de woonboulevard? Plan weer regelmatig een avond of middag samen zoals je vroeger ook deed.

'Geoliede machine?'

Berend: "Joke ging na de geboorte van Mirthe alweer snel aan het werk. Alles hadden we tot in de puntjes geregeld. Kinderopvang, wie Mirthe bracht en haalde, wie boodschappen deed etc. In de weekenden waren we ook constant bezig – met Mirthe of nog met ons werk. Tijd voor elkaar? Die waren we blijkbaar vergeten in te plannen. Ons huishouden was een geoliede machine, maar als er ook maar een klein radertje haperde, sloeg de hele machine op tilt. Dan moesten we allebei al onze energie gebruiken om ons gezin en ons werk weer op elkaar af te stemmen. Pas na een jaar beseften we dat we elkaar een beetje vergeten waren. We moesten heel wat inhalen."

Sex

Na de komst van een kind wordt het vrijen minder. Dat is een van de meest genoemde veranderingen die zowel door moeders als door vaders wordt genoemd. Haalde je vroeger een gemiddelde van een tot twee keer vrijen per week? In het eerste jaar na de geboorte van het eerste kind is dat gemiddelde bij de meeste jonge ouders afgenomen tot een tot twee keer per maand. Meest genoemde factoren die leuke sex in de weg kunnen staan zijn:

- Moe, moe en nog eens moe.
- Jullie kind slaapt bij jullie op de slaapkamer of slaapt vaak bij jullie in bed.
- Je partner ziet je vagina als een geboortekanaal en niet als iets wat bij vrijen hoort.
- Jouw borsten behoren aan je kind en niet aan je partner.
- Je vindt je lichaam onaantrekkelijk geworden (die tien kilo is er nog steeds niet vanaf).
- Je vagina doet pijn bij het vrijen.

In de eerste drie jaar na de geboorte van een kind komen er relatief meer scheidingen voor en hebben mannen relatief vaker sex buiten de deur. Vrouwen zeggen dat ze in het eerste jaar na de geboorte van hun kind vaker tegen hun zin vrijen om hun partner niet teleur te stellen.

'Zin maken'

Pauline: "Als het aan mij had gelegen, hadden we het hele eerste jaar na de bevalling niet gevreeën. Maar om Tim een plezier te doen, deed ik af en toe mijn best om zin te maken. En dat lukte meestal best. Achteraf vroeg ik me dan af waarom we het eigenlijk niet vaker deden."

De oplossing

Echt, je bent niet de enige jonge moeder die niet na enkele weken al staat te springen om weer met haar partner te vrijen. De meeste vrouwen beginnen drie à vier maanden na de bevalling weer wat zin in sex te krijgen. Na een knip of inscheuring kun je nog tot zes maanden erna (of nóg langer) last hebben van het litteken bij je vagina. Soms zul je merken dat het langer duurt dan vroeger voor je opgewonden genoeg bent. Het is goed hierover te praten met je partner. Als je vagina niet vochtig genoeg is, betekent dat simpelweg dat je nog niet opgewonden genoeg bent. Maar soms kun je de natuur een handje helpen met wat spuug of glijmiddel. Heb je nog pijn en zie je daardoor op tegen vaginale sex? Doe het dan niet. En bedenk dat vrijen ook op zoveel andere manieren leuk kan zijn. Probeer ook hierover duidelijk te zijn tegen je partner: "Schat, ik wil echt wel met je vrijen maar het doet me op de gewone manier nog te veel pijn. Laten we eerst eens andere dingen proberen. Wat vind je lekker?"

'Hele opluchting'

Charlotte: "*Bij de bevalling van Merel ben ik flink ingescheurd en daarna gehecht. Van die hechtingen heb ik lang last gehad. Ik wilde niets in de buurt van mijn vagina hebben en hield de sex af. Maar ik zag ook wel dat Peter behoefte had en toenadering zocht. We hebben de eerste tijd alleen gevreeën zonder dat hij in mijn vagina kwam. En dat was voor ons beiden ook prima. Pas na een jaar durfde ik het aan om voorzichtig iets in mijn vagina te voelen. Het ging allemaal heel voorzichtig en langzaam. Het leek wel weer mijn eerste keer! Gelukkig deed het nauwelijks pijn. Wat bleek? Mijn vagina was wijder dan vroeger en ik*

vond dat een hele opluchting. Vóór mijn zwangerschap had ik vaak het
idee dat mijn vagina te strak was en deed het soms ook pijn. Nu niet
meer. Ik ben blij dat ik er wat langer mee heb gewacht."

Ook minder zin: jonge vaders

Echt waar: ook jonge vaders kunnen minder zin hebben in sex. Dit nieuwe
verschijnsel wordt sinds een aantal jaren gesignaleerd door sexuologen.
Het heeft te maken met de nieuwe rolverdeling tussen mannen en
vrouwen. Vroeger waren de taken misschien wel oneerlijker verdeeld, maar
wel veel duidelijker dan nu. De vrouwen bleven toen thuis zorgen voor
het kind en de mannen verdienden de kost. Tegenwoordig wordt van een
jonge vader veel meer verwacht: dat hij én bezig is met zijn carrière én een
verzorgende rol speelt voor zijn kind én een deel van de huishouding op
zich neemt én ook nog eens een goede minnaar is. Voor sommige mannen
is de druk van al deze taken te hoog en dat kan zich uiten in lichamelijke
klachten zoals stress en slapeloosheid. En die hebben weer invloed op de
zin in vrijen.

Streeloefening

Heeft een van jullie minder zin in vrijen, dan is de onderstaande streeloefening het proberen waard. Deze wordt vaak door sexuologen aan stellen
gegeven, zodat ze opnieuw leren genieten van de aanraking van hun huid
en leren om op een ontspannen manier met elkaars lichaam om te gaan.
Ook is dit een goede oefening als een van beiden niet meer kan genieten
van het elkaar aanraken, omdat het 'toch altijd moet eindigen met sex'.

Vooral genieten

Spreek met elkaar af dat je twee keer per week een half uur de tijd neemt
voor deze oefening. Het gaat erom dat jullie om beurten gever en
ontvanger zijn van het strelen. Spreek af wie de ene dag de gever is en de
ontvanger. De volgende keer draaien jullie de rollen om. Bij het geven van
de streelmassage aan je partner mag je alles aanraken, behalve de borsten
en geslachtsdelen. Je mag je kleren aanhouden, ze mogen ook uit. Degene
die gestreeld wordt (de ontvanger) mag kiezen of hij/zij op de buik of op
de rug ligt. De streeloefening mag diezelfde avond niet eindigen in sex. Op

deze manier leert de ontvanger echt ontspannen te genieten van elke aanraking op het lichaam. Ben je ontvanger, ga dan na wat je lekker vindt bij
het aanraken en vertel dat later aan de gever. Word je opgewonden van het
aanraken of aangeraakt worden? Doe er niets mee, maar geniet er vooral
van. Zo leer je van de aanraking van je lichaam te genieten maar leer je ook
wat je partner lekker vindt.

Als de zin in vrijen weer terugkomt, kunnen jullie deze oefening uitbouwen
tot een echte vrijpartij.

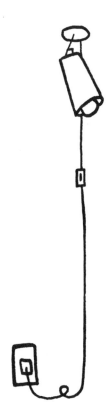

Het gaat niet goed

Over ruzies en wat je eraan kunt doen

Als je kinderen wat groter worden, loopt je relatie vaak ook weer beter. Maar soms is dat niet zo en stapelen de ruzies zich op. Dan is het tijd voor actie. Want met wat praktische adviezen kun je zelf meestal heel wat verbeteren.

Bij de meeste stellen wordt de relatie binnen een jaar na de bevalling weer beter. 68 procent van de jonge vaders zegt zelfs dat hun relatie na de komst van een kind beter is geworden dan daarvoor. Maar soms wordt deze niet beter. Voelen jullie je niet voortdurend gelukkig meer in de relatie, dan is dit hoofdstuk voor jullie bedoeld.

In de vorige hoofdstukken is al een aantal factoren genoemd dat na de geboorte van jullie kind invloed heeft op jullie relatie. We hebben het gehad over slaapgebrek, over de aanwezigheid van een kind dat voortdurend jullie aandacht opeist, over de taakverdeling in huis en in de opvoeding en over de veranderingen op sexueel gebied. Of deze omstandigheden leiden tot wel of geen grote, langdurige problemen hangt af van de manier waarop jullie beiden met deze factoren omgaan, en met de daaruit voortkomende problemen. In sommige relaties stapelen de problemen zich zover op dat er hulp nodig is. Soms kun je zelf met wat goede adviezen en tips al heel wat verbeteren. Af en toe is de situatie zo ernstig dat er hulp van buitenaf nodig is.

'Taakverdeling'

Puck: *"Vroeger hadden Pieter en ik vrijwel nooit woorden. Maar sinds we kinderen hebben, ruziën we wat af. De oorzaken? Moe, moe, moe. Te weinig tijd voor elkaar. Meningsverschillen over de taakverdeling. En over de opvoeding van de kinderen. Over één ding zijn we het gelukkig wel eens: niet ruziemaken waar de kinderen bij zijn."*

Ruzie. Maar waarover?

Van de *Ouders van Nu*-lezeressen zegt 23% vaker ruzie te hebben dan voor de komst van hun kind en 27% zegt even vaak ruzie te hebben. Op de vraag waarover de ruzies gaan, geven ze het volgende antwoord:

43%: over het huishouden
40%: over de tijdsbesteding
27%: over de kinderen
27%: over geld
19%: over de (schoon)ouders

'Dagenlang zwijgen'

Sandra: "Bas kwam steeds vaker laat thuis van zijn werk, bleef dan bijvoorbeeld met collega's nog wat drinken of overwerken. Ook ging hij steeds vaker de hele zaterdag met zijn voetbalvrienden weg en kwam pas 's avonds thuis. Als hij wel thuis was, hadden we vaak woordenwisselingen. Ik was eigenlijk heel boos dat hij me zo in de steek liet. Maar we konden het er niet over hebben. Ik was te boos om nog op een redelijke manier met hem te kunnen praten. Het liefst wilde ik hem de huid vol schelden maar ik was bang voor de scheldpartij die daarop zou volgen. En ik wilde niets zeggen in het bijzijn van Jobje. De sfeer was dus om te snijden. Dus was Bas natuurlijk blij als het weer eens zaterdag was, zodat hij de hele dag weg kon zijn. Daarna was ik nog kwader omdat hij me weer in de steek liet. We konden de cirkel niet meer doorbreken. Ik was oprecht bang dat we aan het eind van het jaar uit elkaar zouden gaan. Of dat hij vreemd zou gaan."

Herrie in de tent

Bij een ruzie (op wat voor manier je die ook uit: zwijgen, schreeuwen, schelden of nog anders) is er altijd een aanleiding. Maar vaak ligt de oorzaak dieper. Het is niet altijd gemakkelijk om daar achter te komen. Vaak helpt het om je dan af te vragen wat je precies voelt (behalve de boosheid van dat moment). Kijk in het volgende schema eens naar de verschillende evoelens die voor ruzie kunnen zorgen. Misschien herken je jouw gevoel.

Je bent niet tevreden over wat hij doet, vergeleken met wat jij doet. Of je vindt dat hij er de kantjes vanaf loopt. Of je vindt dat je alles kunt overdoen wat hij heeft gedaan. Je partner vindt dat hij naast zijn werk niet net zoveel als jij hoeft te doen. Hij vindt dat hij nooit iets goed kan doen.

Welk gevoel zit er achter?
- Jij voelt je niet gewaardeerd, je krijgt nooit eens te horen dat het toch wel heel knap is wat je allemaal klaarspeelt.
- Je voelt je nutteloos, het is in zijn ogen blijkbaar geen belangrijk werk wat je doet.
- Je voelt je vernederd, hij vindt zichzelf te goed voor de klusjes in huis.
- Hij voelt zich ondergewaardeerd. Hij werkt hard om jullie te kunnen onderhouden maar krijgt daar geen waardering voor.
- Hij voelt zich vernederd. Hij wil best taken delen en uitvoeren, maar waarom mag het niet op zijn manier?

Je vindt hem te toegeeflijk. Te streng. Of te makkelijk. Of inconsequent. Je vindt dat hij in zijn gedrag verkeerde voorbeelden geeft aan jullie kind. Of hij vindt juist dat van jou. Jullie hebben duidelijk verschillende standpunten over sommige onderwerpen (wel of niet laten huilen, wel of niet bord leegeten etc).

Welk gevoel zit er achter?
- Angst voor je je eigen jeugd vroeger. Je wilt niet dat jouw kinderen hetzelfde meemaken als jij.
- Je voelt je afgewezen. Wat jij doet is niet goed in de ogen van je partner.
- Je voelt je in de steek gelaten door je partner. Hij laat je overdag maar aanmodderen en heeft meteen kritiek op je als hij thuiskomt. Of andersom.

Jij vindt dat hij te veel tijd aan zijn werk besteedt en te weinig aan zijn gezin. Of hij vindt dat van jou. Zelfs als hij thuis is, wordt hij nog gestoord door zijn collega's. Op zijn 'zorgdag' speelt hij niet met zijn kind, maar zit hij de hele dag te werken.

Welk gevoel zit er achter?

• Behoefte aan aandacht. Je wilt zo graag van hem horen dat hij blij is om weer thuis te zijn en jou en jullie kind weer te zien.

• Je mist hem. En je krijgt niet het gevoel dat hij jou mist (eerder zijn collega's).

• Je voelt je niet gewaardeerd. Hij vindt zijn collega's en zijn werk blijkbaar belangrijker dan zijn gezin.

• Hij voelt zich in tweeën gespleten: aan de ene kant wil hij heel graag thuis zijn, aan de andere kant voelt het goed om op zijn werk onmisbaar te zijn.

• Hij voelt zich niet gewaardeerd. Hij vindt dat hij ontzettend veel moeite doet om nog op tijd thuis te zijn. Zijn carrière is toch ook belangrijk voor de toekomst van zijn gezin?

Geld

Jij (of hij) geeft te veel geld uit. Je hebt een gat in je hand. Je koop te veel nutteloze dingen volgens je partner. Die nieuwe rok van jou had toch ook goedkoper gekund. Hij koopt weer eens een duur en nutteloos apparaat.

Welk gevoel zit er achter?

• Hij voelt zich (of jij voelt je) onzeker over jullie financiële toekomst.

• Je wilt niet in dezelfde armoedige toestand terechtkomen als je van vroeger kent

• Angst voor afhankelijkheid. Je wilt laten zien dat je zelf ook wat kunt besteden.

• Je hebt het gevoel dat hij je niet vertrouwt. Gelooft hij niet dat jij best met geld kunt omgaan?

Sex

Je hebt nooit meer zin. Je hebt altijd maar hoofdpijn. Jij gaat altijd zo vroeg naar bed. Hij wil altijd maar één ding. Kan hij nou nooit eens zonder sex? Hij zit alleen maar naar sexfilms te kijken op tv.

Welk gevoel zit er achter?

• Je wilt aandacht en intimiteit. Als hij die zou geven, zou jij misschien wel vaker sex willen.

• De angst dat hij vreemdgaat. Als jij niet vaak genoeg wilt vrijen, gaat hij misschien wel vreemd.

• Je voelt je niet aantrekkelijk. Hoe kan hij nou sex met iemand willen die zo

dik en onaantrekkelijk als jij?
- Je voelt je gebruikt. Als hij een sexfilm heeft gezien, wil hij daarna naar bed met jou. Je denkt dat het hem niet uitmaakt met wie hij vrijt.
- Hij voelt zich afgewezen. Denkt: ze houdt niet meer van mij als ze niet met me wil vrijen.
- Hij wil aandacht en intimiteit. En daarom wil hij vrijen. Hij weet niet hoe hij jou op een andere manier aandacht en intimiteit moet geven.

Boos zijn mág!

Veel onderzoeken hebben aangetoond dat ruzies en conflicten tussen vaders en moeders een gigantische invloed hebben op de emotionele ontwikkeling van hun kinderen. Dat betekent niet dat je geen ruzie mag hebben. Het gaat er meer om hoe jullie met de ruzie en het conflict omgaan in het bijzijn van de kinderen. Hieronder enkele tips, gebaseerd op onderzoeken naar de invloed van ruzies op de ontwikkeling van kinderen:
- Ruziemaken met elkaar, boos zijn of het niet eens zijn met elkaar mag! Boosheid is een normale reactie in een mensenleven en in een relatie.
- Probeer daarom niet altijd ruzies of boosheid te vermijden in je gezin. Zo leert een kind niet om te gaan met deze voor ieder mens normale emotie.

Tip

Bedenk dat een kind pas echt gelukkig kan zijn als beide ouders ook gelukkig zijn. Het is dus heel belangrijk om te zorgen dat je relatie goed blijft.

Kindvriendelijk ruziemaken

Sommige manieren van omgaan met boosheid hebben minder negatieve gevolgen voor kinderen dan andere manieren:
- Een 'zwijgend conflict' of 'ruzie in stilte' is voor kinderen erger dan een ruzie waarbij (harde) woorden vallen. Een zwijgende ruzie is onduidelijker en verwarrender voor hen.
- Ruzies waarbij klappen vallen zijn per definitie zeer bedreigend voor kinderen. Dit soort ruzies moet je dus absoluut vermijden.
- Ruzies die jullie alleen verbaal uitknokken – woordenwisselingen of een heftig verschil van mening – is voor kinderen duidelijker. Het is wel belangrijk om de ruzie, als die plaatsvindt als je kind erbij is, ook weer bij

te leggen in het bijzijn van je kind.

- Ruzies die eindigen met een compromis of met een excuus van een van beide partners hebben de minst schadelijke gevolgen voor een kind.
- Ruzies die maar gedeeltelijk worden opgelost, zoals tijdelijk toegeven aan de ander voor de 'lieve vrede' of het onderwerp veranderen 'voor de lieve vrede' zijn beter voor de kinderen dan ruzies die niet openlijk worden opgelost. Ook als je op een later tijdstip laat merken dat de ruzie over is (verbaal of non-verbaal), is dat gunstig voor de kinderen.
- Vertoont je kind geen angstige, bange of andere negatieve reacties op jullie ruzie? Dan nog kan de ruzie invloed hebben op het welbevinden van je kind. Elk kind reageert weer anders op een conflict tussen de ouders. Sommige kinderen durven bijvoorbeeld niets te laten merken om te voorkomen dat hun ouders weer ruzie krijgen.

'Ingehouden boosheid'

Agnes: *"Ik wilde absoluut niet dat mijn kinderen zouden meemaken dat hun ouders ruzie hadden. Vroeger thuis heb ik zo vaak meegemaakt dat mijn ouders elkaar scheldend en schreeuwend in de haren vielen. Dat was voor mij altijd heel bedreigend. Liever geen ruzie dus, maar boos kon ik natuurlijk wel eens zijn op Mark, mijn man. Dan ik hield me in en kon ik dagenlang chagrijnig door het huis lopen. Zo liet ik merken dat ik het bijvoorbeeld niet eens was met het feit dat hij weer eens een paar dagen naar het buitenland moest voor zijn werk. Onze zoon Pepijn werd van mijn gezwijg altijd heel zenuwachtig. Hij vroeg dan extra veel aandacht, wilde 's avonds niet slapen, werd 's nachts een paar keer wakker en wilde dan alleen maar bij mij in bed liggen. Pas later besefte ik dat hij dan dacht dat ik boos op hém was."*

Noodsignalen

De volgende signalen wijzen erop dat jullie conflict en dus je relatie aan het vastlopen is:

- Door de manier waarop jullie ruziemaken voel je je afgewezen door je partner.
- Jullie praten steeds maar over het conflict zonder vooruitgang te boeken.
- Je bijt je vast in je eigen stellingen en bent niet bereid toe te geven.
- Na het ruziemaken voel je je gefrustreerd en gekwetst.

- Tijdens de woordenwisseling is er geen sprake van humor of genegenheid.
- In de loop van de tijd wordt je steeds onverzettelijker, waardoor de gesprekken steeds vervelender worden.
- Je bent steeds minder bereid tot een compromis.
- Uiteindelijk neem je emotioneel gezien steeds meer afstand van elkaar.

Uit: John Gottman, De zeven pijlers van een goede relatie. 1999 Kosmos Z&K.

Manieren van ruziemaken

De manier waarop jullie ruziemaken zegt heel veel. Sterker nog, deze manier bepaalt voor een groot deel of jullie relatie het gaat redden of niet. Sommige ruziemethodes hebben een erg negatieve invloed op je relatie omdat ze niets oplossen, maar juist nieuwe conflicten uitlokken. De psycholoog John Gottman (van het bekende boek *De zeven pijlers van een goede relatie*) kon tijdens therapiesessies binnen vijf minuten voorspellen of een echtpaar binnen een paar jaar zou scheiden of niet. Alleen door te luisteren naar de manier van conflict oplossen.

Volgens Gottman zijn er vier negatieve manieren van omgaan met conflicten:

Verwijten maken

Tijdens een ruzie kritiek uiten of iemand verwijten maken betekent dat je niet alleen het ene voorval afkeurt, maar de persoon in zijn geheel. 'Waarom kom je nooit eens een keer op tijd?' is een verwijt en een afkeuring van de persoon zelf. In plaats daarvan is het beter om te zeggen dat je het heel vervelend vindt dat hij/zij nu zo laat is gekomen, terwijl je al zo'n tijd voor niks zit te wachten.

De ander minachten/vernederen

Door tijdens een ruzie of woordenwisseling een minachtende of sarcastische opmerking te maken, strooi je gif in je relatie. Zo'n uitlating heeft als boodschap dat je de ander totaal afkeurt. Minachting kun je niet alleen in woorden laten merken ('En jij denkt dat je zo slim bent dat je mij de volgende keer wel belt als je te laat bent?'), maar ook in non-verbaal gedrag. Het effect is net zo erg.

In de verdediging gaan

Jezelf verdedigen in een ruzie, dus uitleggen waarom je iets niet hebt gedaan, is een begrijpelijke reactie. Maar onderzoek heeft uitgewezen dat het maar zelden helpt om de ander begrip voor jouw situatie te laten opbrengen. In feite geef je namelijk de situatie de schuld in plaats van jezelf. 'Sorry, ik had gewoon eerder moeten vertrekken' is daarom beter dan 'Ik ben te laat door die file'. Een dergelijke verdedigende opmerking lokt juist vaker weer een aanval uit: 'Ja, ja, het is altijd die file.'

Een muur optrekken/zwijgen

Als de ruzie hoog oploopt, kan een van beiden besluiten dat het welletjes is en plotseling niet meer aan de discussie meedoen. Denk aan het zogenaamd zingend weglopen uit een schreeuwende ruzie ('Lalala, ik hoor lekker toch niet wat je zegt') of je wegstoppen achter een grote krant of plotseling helemaal niets meer zeggen. Het kan de ander helemaal gek van woede maken, waardoor de ruzie alleen maar erger wordt.

Lesje ruziemaken

Niet alleen Gottman, ook andere psychologen hebben allerlei nuttige tips en adviezen gegeven over hoe je op een constructieve manier kunt ruziemaken. Hier een paar handige tips:

- Praat zoveel mogelijk in ik-termen. Daarmee voorkom je dat je uitspraak een verwijt wordt. Dus: 'Ik voel me verwaarloosd door je' in plaats van 'Jij geeft helemaal niets om mij'. Daarmee geef je ook aan hoe jij je voelt.
- Beschrijf de situatie. Geef geen oordeel. Dus niet: 'Jij let ook nooit eens op de baby', maar: 'Het lijkt wel alsof ik de hele dag alleen met de baby bezig ben.' Maar geef hierna wel aan wat je wilt dat er verandert. Dus: 'Zou jij dadelijk op de baby willen letten, dan kan ik even rustig zitten.'
- Beschrijf het specifieke gedrag van de ander. Daarmee wordt je klacht duidelijk voor de ander. Dus niet: 'Je houdt niet van me' als hij geen zin heeft om met je naar de film te gaan. Maar wel: 'Ik denk dat je niet om me geeft als je nu weer geen zin hebt om met me naar de film te gaan.' Daarmee maak je je partner duidelijk hoe jij je voelt en door welk gedrag in welke situatie dat gevoel wordt veroorzaakt.
- *C'est la tone qui fait la musique*, zeggen de Fransen. Daarmee bedoelen ze dat de manier waarop je iets zegt al heel veel uit maakt. Dus ook al plof je van woede, probeer iets op een aardige manier te zeggen of te vragen.

• Wees bereid een compromis te sluiten als een eenzijdige oplossing moeilijk wordt.

Oefening

Je boosheid opkroppen is nooit goed. Ooit komt je boosheid er als een vulkaanuitbarsting uit met het risico dat je dan dingen zegt waarvan je later spijt hebt. In sommige relatietherapieën wordt wel eens de volgende oefening gegeven. Als jullie ruzie hebben, geef elkaar dan vijf minuten de gelegenheid om ononderbroken alles te zeggen wat je op je hart hebt. Als een van beiden daarmee begint, mag de ander niet reageren. Na vijf minuten stop je even vijf minuten om alles tot je door te laten dringen. Dan mag de ander vijf minuten lang alles zeggen zonder onderbroken te worden. Daarna neem je weer vijf minuten pauze (pak even koffie, ga naar de wc of iets dergelijks). Vervolgens krijgt weer ieder vijf minuten de tijd om ononderbroken op elkaars woorden te reageren. Het grote voordeel van deze methode is dat een ruzie veel minder kans loopt te escaleren omdat je niet direct op elkaar reageert.

Je relatie verbeteren

Hebben jullie beiden het gevoel dat jullie relatie in het slop is geraakt en wel een grote onderhoudsbeurt kan gebruiken? Probeer dan eens samen met je partner het volgende stappenplan. Hiervoor heb je pen en papier nodig en moet je tijd reserveren: voor elke stap een à twee uur. Ga daarna niet meteen door met stap 2. Plan tussen de stappen ongeveer een week.

Stap 1: Wat wil je bereiken?

• Maak het probleem helder. Schrijf ieder apart op een papier de drie belangrijkste problemen die jij hebt met je relatie. Dus bijvoorbeeld: 1. We doen te weinig samen. 2. Hij doet te weinig in het huishouden 3. Hij heeft geen belangstelling voor mij.
• Bespreek daarna met elkaar, zonder hierover in discussie te gaan, je

problemenlijst.

- Vervolgens schrijven jullie weer ieder apart op papier hoe jouw ideale relatie eruitziet. Bespreek dit met elkaar, weer zonder in discussie te gaan. Het gaat erom dat je elkaar informeert.
- Tenslotte schrijf je voor jezelf op wat jouw bijdrage kan zijn aan het oplossen van de drie problemen in je relatie. Dus schrijf op wat jij kunt doen om bijvoorbeeld probleem 1, 'We doen te weinig samen', op te lossen. Zo schrijf je ook jouw bijdrage op bij je andere twee problemen. Je partner doet dat ook. Je mag de bijdrages ook aan elkaar vertellen. Belangrijk is dat je in de komende week met de uitvoering van jullie bijdrage bezig bent. Spreek met elkaar af om na een week aan stap 2 te beginnen.

Stap 2: Praten met elkaar

Na minimaal een week gaan jullie weer bij elkaar zitten. Bespreek eerst eens met elkaar hoe het de afgelopen tijd ging. Hoe ging het met het uitvoeren van jouw opdracht? Merkte je dat je partner zich anders gedroeg? Vertel elkaar vooral de positieve veranderingen, dat is motiverend. Maak elkaar ook complimenten als het beter ging.

Het geeft een goed gevoel als je weet dat je gekend wordt, dat de ander belangstelling voor je heeft en van jouw gevoelens op de hoogte is. Om weer meer met elkaar bezig te zijn en ook werkelijk belangstelling te tonen voor elkaars leven en gevoelens, kun je de volgende oefening doen. Stel een vraag aan de ander die met jou of met jullie relatie te maken heeft. Bijvoorbeeld: 'Hoe zag ik eruit toen we elkaar voor het eerst ontmoetten?' Eerst beantwoordt de ander jouw vraag, daarna mag dezelfde vraag aan jou worden gesteld. Vervolgens mag je partner jou een vraag stellen. Bijvoorbeeld: 'Noem drie films (of muziek of boeken) waar ik gek op ben.' Enzovoort. Het gaat er bij deze oefening niet om elkaar moeilijke vragen te stellen. Het is geen quiz. Het gaat er wel om dat je vragen stelt waarvan je benieuwd bent of de ander van het antwoord op de hoogte is. Dus je kunt ook vragen: 'Wat heb ik gisteren allemaal gedaan?' Spreek met elkaar af om na een week of meerdere weken aan stap 3 te beginnen.

Tip

Neem je voor om in de komende tijd vaker aan je partner te vragen hoe het was en hoe hij of zij zich voelde.

Stap 3: Denk positief over de ander

Bespreek eerst weer met elkaar hoe het de afgelopen tijd ging. Merkte je verschil? Wat ging er beter? Maak elkaar complimenten als iets beter verliep.

De volgende oefening is bedoeld om weer een positieve sfeer te krijgen tussen jullie. Veel irritaties en woordenwisselingen kunnen als gevolg hebben dat je vergeet dat je elkaar ook ooit liefhad en dat die gevoelens terug kunnen komen als je er moeite voor doet. Vertel elkaar hoe het ging en hoe je je voelde toen jullie elkaar net kenden. De meeste stellen vinden dit een leuke oefening omdat het bij beiden weer herinneringen aan die heerlijke verliefde tijd naar boven haalt.

Tip

Neem je voor om in de komende tijd elke dag minimaal een keer op een positieve manier aan je partner te denken.

Stap 4: Maak tijd voor elkaar

Hebben de vorige drie stappen wat opgeleverd? Bij de meeste stellen is er daadwerkelijk wat veranderd. Maar of dat ook blijvend is, hangt af van jullie beider inzet. Als er veranderingen zijn te bespeuren, spreek dan met elkaar af om in ieder geval voorlopig nog door te gaan met regelmatig tijd voor elkaar vrij te maken. Spreek met elkaar af om, zodra zich weer problemen voordoen, stap 1 tot en met 3 te herhalen.

Als het echt niet meer gaat...

Soms zijn de problemen in een relatie zo groot dat zelfs bovenstaand stappenplan niet meer helpt. Praten met elkaar is dan nauwelijks nog mogelijk, er zijn te veel ruzies of een van beide partners heeft bijkomende psychische problemen. Besluit niet te snel om uit elkaar te gaan, maar zoek eerst hulp. Via je huisarts kun je hulp vragen van een psychotherapeut, een relatiedeskundige of een sexuoloog. In sommige gevallen wordt een behandeling van een dergelijke deskundige vergoed door je verzekering. Maar niet altijd. Vraag ernaar.

Vraag een eerste gesprek aan en wacht eens af of het klikt tussen jullie en de hulpverlener. Een positieve klik is een belangrijke voorwaarde voor een succesvolle therapie.

Schaam je niet om hulp te zoeken van een deskundige. Velen zijn je al (met succes) voorgegaan! Kijk voor adressen achter in dit boek.

'Goede basis'

Isabelle: "Ik had me zo verheugd op het krijgen van een kind. Maar toen het eenmaal zover was, ging het bijna ten koste van onze relatie. We hebben beiden veel moeite gedaan om onze relatie weer goed te krijgen. Omdat we allebei wisten dat onze basis goed was. We houden van elkaar en willen dolgraag als gezin verder. Nu het weer beter gaat, ben ik zielsgelukkig. Bert is een geweldige vader en een lieve man. We hebben gemerkt dat we een heel gelukkig gezin zijn. Als we maar voor elkaar openstaan, bereid zijn compromissen te sluiten en zo nu en dan ook tijd voor elkaar maken."

Meer weten?

Boeken

Het grote Genieten. Oplossingen bij seksuele burn-out door Harry van de
Wiel. Uitgeverij Strengholt, 2002
Volgens psycholoog/sexuoloog Harry van de Wiel kampt dertig procent
van de Nederlandse bevolking met problemen die onder de noemer vallen
van wat hij een 'sexuele burn-out' noemt. In het begin van elke relatie is
sex nog spannend, maar na verloop van tijd is de spanning weg en wordt
sex vaak niet meer ervaren als iets waarvan je kunt genieten. Volgens Van
de Wiel is de oplossing niet: een andere relatie, maar kun je zelf in je hui-
dige relatie de vlam weer aanwakkeren. Hij trekt voortdurend een vergelijking met het genieten van een maaltijd, waarin variatie ook nodig is om het
lekker te houden.

Red je relatie. In 7 stappen naar een betere verstandhouding met je partner
door Phillip C. McGraw. Uitgeverij Het Spectrum, 2000
Het boek dat Dr. Phil schreef toen hij nog als vaste gast bij Oprah Winfrey
verscheen. Er hoort een werkboek bij waarin partners de vele oefeningen
kunnen uitvoeren en opschrijven. In het leesboek schrijft hij op de bekende
directe dr. Phil-manier hoe je zelf je relatie kunt verbeteren. Heel informatief en verhelderend is het hoofdstuk waarin hij tien mythes over wat een
gelukkige relatie zou moeten zijn, stuk voor stuk afbreekt.

Cupido in gevaar. Je relatie als er net een kind is door Sybille Labrijn.
Uitgeverij Aramith, 2001
Psycholoog en psychotherapeut Sybille Labrijn laat veel jonge ouders aan
het woord over hoe zij de overgang van minnaars naar ouderschap ervaren
of hebben ervaren.

Praten met je partner. Voor liefde kun je kiezen door Annette Heffels. Uitgeverij Het Spectrum, 2000
Bestseller van psycholoog Annette Heffels, bekend van haar relatie-

artikelen in *Margriet*. In dit boek geeft ze veel voorbeelden van grote en kleine relatieproblemen. Plus adviezen over hoe mensen met dergelijke problemen kunnen omgaan. Daarnaast vind je in dit boek veel praktische opdrachten die partners samen (of alleen) kunnen uitvoeren.

De zeven pijlers van een goede relatie door John Gottman en Nan Silver. Uitgeverij Lifetime, 1999
Beroemd boek van relatietherapeut John Gottman over hoe je je relatie kunt verbeteren. Gottman is hoofd van het 'Love Lab' aan de Universiteit in Seattle waar echtparen worden bestudeerd en begeleid in het sturen van hun relatie. Gottman heeft onder andere onderzocht wat de kenmerken zijn van een goede relatie. In zijn boek veel testjes om je eigen relatie te onderzoeken en heel veel oefeningen om je relatie te verbeteren.

99% liefde. Hoe het zit met verliefdheid, lust en relaties door Pieternel Dijkstra en Marleen Janssen. Uitgeverij Het Spectrum, 2005
Journalist Marleen Jansen heeft veel vragen over de liefde, relaties en seksualiteit. Psycholoog Pieternel Dijkstra beantwoordt al haar vragen en samen geven ze veel achtergrondinformatie uit binnen- en buitenlandse wetenschappelijke onderzoeken. Heel leesbaar en heel informatief als je meer wilt weten over de wetenschappelijke kant van de liefde.

Maken we er iets van? Samen je relatieproblemen in kaart brengen en oplossen door Gerbrand van Hout. Uitgeverij Swets&Zeitlinger, 2000
Het boek begint met een aantal vragenlijsten en oefeningen om de problemen in je relatie in kaart te brengen. Daarna volgen in de hoofdstukken suggesties en tips om stap voor stap deze problemen aan te pakken. Een echt zelfhulpboek.

Omgaan met relatieproblemen door Jean-Pierre van de Ven. Uitgeverij Bohn Stafleu van Loghum, 2005
Psycholoog Jean-Pierre van de Ven, onder andere bekend van zijn optreden bij Radio Noord Holland, beschrijft verschillende soorten relatietherapieën. Daarnaast geeft hij duidelijke adviezen voor mensen die eerst zelf aan de slag willen om hun relatie te verbeteren.

Liefde vraagt tijd. Spelregels voor het paar onder tijdsdruk door Alfons Vansteenwegen. Uitgeverij Lannoo, 1999

De Belgische relatietherapeut Alfons Vansteenwegen heeft al meerdere boeken over relaties geschreven. In dit boek beschrijft hij hoe relaties in de knel kunnen komen doordat beide partners het te druk hebben met andere zaken dan elkaar. Hij geeft veel herkenbare voorbeelden van relatieproblemen. Daarnaast eindigt elk hoofdstuk met een oefening voor beide partners.

Gezin eerst. Stap voor stap naar een harmonieuze sfeer in huis door Dr. Phil McGraw. Uitgeverij Het Spectrum, 2004
Dr. Phil vertelt je hoe je kunt zorgen voor meer harmonie in huis en hoe je je kinderen op een prettige manier kunt opvoeden. Dr. Phil heeft in 2003 aan 17.000 bezoekers van zijn televisieshow en zijn website gevraagd een vragenlijst in te vullen over hun taak als ouders. De gegevens uit dit onderzoek geven interessante informatie over hoe vaders en moeders denken over opvoeden. Daarnaast geeft hij in dit boek veel tips en adviezen over opvoeden. Nuttig om te lezen zijn de zeven verschillende manieren waarop je kinderen kunt opvoeden.

Websites

www.wiedoetwat.nl
De site bevat veel tips, maar ook korte testimonials van mannen en vrouwen over hoe zij de taken hebben verdeeld.

www.vadersvannu.nl
Een website voor moderne vaders, uitgegeven door *Ouders van Nu* en behorend bij het tijdschrift *Vaders van Nu*. De site bestaat uit wetenswaardigheden en tips voor vaders. Bovendien staat er nog een inhoudsoverzicht op van de artikelen die te vinden zijn in *Vaders van Nu*.

www.jongegezinnen.nl
Een website voor ouders met jonge kinderen.

www.babybox.nl
Veelzijdige site voor jonge ouders

http://parenting.ivillage.com
Amerikaanse website voor ouders, partners, zwangeren en jonge vaders en

moeders over alles wat te maken heeft met opvoeden en ouderschap. Met veel artikelen van deskundigen, leuke columns en verhalen van ouders zelf.

www.seksualiteit.nl
Goede website over sexualiteit. Met veel informatie en gelegenheid om (tegen betaling) vragen te stellen. Ook namen en adressen van sexuologen.

Organisaties

Nederlandse Vereniging voor Psychotherapie (NVP)
Emmalaan 29, 3581 HN Utrecht, 030-2510161
www.nvp.nl
Een website voor iedereen die informatie wil over psychotherapie en overweegt om zelf in therapie te gaan.

Nederlandse Vereniging voor Relatie- en Gezinstherapie (NVRG)
WG-plein 209, 1054 SE Amsterdam, 020-6123078
www.nvrg.nl
Op de website vind je onder andere namen van goede relatietherapeuten bij jou in de buurt.

Nederlandse Vereniging voor Seksuologie (NVVS)
Postbus 113, 5660 AC Geldrop
www.seksuologen-nederland.nl
Op de website zijn namen en adressen te vinden van geregistreerde sexuologen.

Bronnen

Alle hiervoor genoemde boeken

Veranderingen in de seksuele relatie tijdens en na de zwangerschap door Hanne van Herwerden. In: Facetten van Seksualiteit, onder redactie van Koos Slob e.a. Uitgeverij Bohn Stafleu van Loghum, 1994

Sexcounseling in de psychosociale hulpverlening door Marijke IJff. Uitgeverij van Gorkum, 1997

A Clinician's Guide to Maintaining and Enhancing Close relationships. Onder redactie van John Harvey. Uitgeverij Lawrence Erlbaum Associates, 2002

The Handbook of Sexuality in Close Relationships. Onder redactie van John Harvey. Uitgeverij Lawrence Erlbaum Associates, 2004